Э.И. Иванова, А.Н. Фр

НАШЕ ВРЕМЯ

Учебник русского языка для иностранцев (базовый уровень)

Третье издание, стереотипное

МОСКВА
2018

УДК 811.161.1
ББК 81.2Рус-96
И21

Рецензенты: д-р пед. наук, проф. С.А. Гонцова;
канд. пед. наук, доц. Т.А. Филипская

Иванова, Э.И.

И21 **Наше время:** Учебник русского языка для иностранцев (базовый уровень) / Э.И. Иванова, А.Н. Фролова. — 3-е изд., стереотип. — М.: Русский язык. Курсы, 2018. — 208 с.

ISBN 978-5-88337-251-2

Учебник адресован иностранцам, осваивающим базовый уровень владения русским языком при любых формах обучения. Он рассчитан на 80 и более аудиторных часов и соответствует требованиям «Программы по русскому языку как иностранному», допущенной УМО вузов России по педагогическому образованию в качестве основного документа.

Учебник состоит из 5 уроков, включающих работу над грамматикой и лексикой базового уровня, тексты для чтения, аудиоматериалы, материалы для развития навыков и умений говорения и письма. Каждый урок содержит две части: основную, построенную на неизученном языковом и речевом материале, и повторительную.

Вместе с учебником «Наше время (элементарный уровень)» и учебным пособием «Наше время (I сертификационный уровень)» данный учебник формирует у иностранных учащихся достаточные знания и умения для общения на русском языке и сдачи экзамена на I сертификационный уровень общего владения.

ISBN 978-5-88337-251-2

ПРЕДИСЛОВИЕ

Настоящий учебник является центральным звеном серии учебников и учебных пособий «Наше время» и предназначен для иностранцев, осваивающих базовый уровень владения русским языком при любых формах обучения.

Учебник рассчитан на 80 и более аудиторных часов и соответствует требованиям «Лингводидактической программы по русскому языку как иностранному» (авт. З.И. Есина и др.; М., 2010), допущенной УМО вузов России по педагогическому образованию в качестве регламентирующего документа. Он состоит из 5 уроков, включающих работу над грамматикой и лексикой базового уровня, тексты для чтения, аудитивные материалы, материалы для развития навыков и умений говорения и письма.

Каждый урок состоит из двух частей: основной, построенной на неизученном языковом и речевом материале, и повторительной. Вместе с учебником «Наше время» (элементарный уровень) и учебным пособием «Наше время (I сертификационный уровень) данный учебник формирует у иностранного учащегося достаточные знания и умения общения на русском языке и при необходимости сдачи экзамена на I сертификационный уровень общего владения.

Учебник «Наше время» (базовый уровень), как и другие учебники этой серии, нацеливает учащегося на самостоятельное изучение материала. Каждый урок содержит грамматические таблицы, где учащийся наблюдает и анализирует новые языковые единицы; рубрику «Проверьте себя», адресованную как учащемуся для уточнения самостоятельно сделанных им выводов при анализе грамматического материала, так и преподавателю, поскольку в ней содержится описание особенностей функционирования изучаемой языковой единицы в речи на данном этапе обучения; микротекст, дающий учащемуся возможность синтезировать изучаемый материал. Уроки включают: работу над предложно-падежными формами прилагательных *(ед. и мн. ч.)*, существительных *(мн. ч.)*, местоимений, порядковых числительных; глаголами движения без приставок; выражением времени в простом предложении; выражением сравнения, безличными предложениями, повелительным наклонением и др. Тексты учебника содержат страноведческий материал. Система построения текстов и заданий обеспечивает преемственность учебных изданий серии «Наше время».

Выражаем благодарность всем, кто принял участие в подготовке этой работы и высказал ценные замечания и пожелания.

Авторы

Урок I

Речевые образцы	**Этот** журнал стоит 20 рублей. Стивен любит **свой** город. В **Московском** Кремле есть **красивый** парк.
Грамматический материал	Указательное местоимение ***этот (эта, это, эти)***; притяжательное местоимение ***свой (своя, своё, свои)***; прилагательные, притяжательные местоимения, порядковые числительные, указательное местоимение ***этот*** женского, мужского, среднего рода в падежных формах единственного числа.
Тексты	*«Письмо другу»* *«Город Клин»*

Задание 1.

а) Посмотрите на таблицу 1 и постарайтесь понять, когда используется указательное местоимение **этот** (**эта**, **это**, **эти**).

Материал для наблюдения

Таблица 1

Кто это?	**Какой это**	студент?	**Это новый**	студент.
Кто это?	**Какая это**	студентка?	**Это новая**	студентка.
Кто это?	**Какие это**	студенты?	**Это новые**	студенты.
Что это?	**Какой это**	журнал?	**Это новый**	журнал.
Что это?	**Какая это**	газета?	**Это новая**	газета.
Что это?	**Какое это**	задание?	**Это новое**	задание.
Что это?	**Какие это**	журналы?	**Это новые**	журналы.

Но:

Какой студент	**изучает** русский язык?	**Этот** (новый).
Какая студентка	**приехала** из Конго?	**Эта** (новая).
Какие студенты	**живут** в общежитии?	**Эти** (новые).
Какой журнал	**стоит** 20 рублей?	**Этот** (интересный).
Какая газета	**называется** «Метро»?	**Эта** (интересная).
Какое здание	**находится** рядом?	**Это** (красивое).
Какие журналы	**были** в библиотеке?	**Эти** (интересные).

Это новый студент. — **Этот** студент — **новый**.
Это новая книга. — **Эта** книга — **новая**.
Это старое общежитие. — **Это** общежитие — **старое**.
Это новые русские студенты. — **Эти новые** студенты — **русские**.

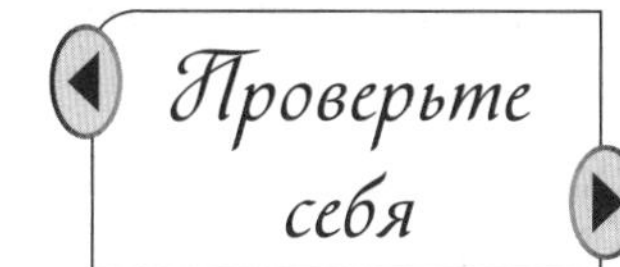

- Формы местоимения **этот** отвечают на вопрос ***какой?*** (***-ая***, ***-ое***, ***-ие***), причём полный вопрос не может включать в себя слово **это**.
- Предложения с местоимением **этот** (**эта**, **это**, **эти**), как правило, содержат глаголы.

Обратите внимание

Указательное местоимение **этот** (**эта**, **это**, **эти**) используется, если в конце предложения имеется прилагательное, порядковое числительное или притяжательное местоимение.

Задание 2.

а) Прочитайте текст. Найдите указательное местоимение **этот** (**эта**, **это**, **эти**) и объясните, от чего зависит его форма.

Новые слова: осно́ва́ть I (*что?*), основа́тель, дворе́ц (дворцы́), бе́рег (*где?* на берегу́), па́мятник (*кому?*), прямо́й, широ́кий, изве́стный, совреме́нный.

В 1703 (ты́сяча семьсо́т тре́тьем) году́ ру́сский *ца́рь* Пётр I **основа́л*** го́род Са́нкт-Петербу́рг. В 1712 (ты́сяча семьсо́т двена́дцатом) году́ э́тот го́род стал столи́цей Росси́и. Са́нкт-Петербу́рг нахо́дится на берегу́ реки́ Невы́. Это большо́й, краси́вый **совреме́нный** го́род. Зде́сь е́сть **широ́кие** пло́щади и проспе́кты, больши́е но́вые зда́ния, метро́.

Но са́мое интере́сное в Петербу́рге — э́то его́ истори́ческие **па́мятники**, прекра́сные **дворцы́**, собо́ры, музе́и. В це́нтре го́рода — Дворцо́вая пло́щадь. Эта пло́щадь называ́ется так потому́, что зде́сь

* Здесь и далее в текстах выделены слова, предназначенные для активного владения.

нахóдится Зи́мний **дворéц**. Глáвная ýлица Петербýрга — Нéвский проспéкт. Эта ýлица **прямáя** и **ширóкая**.

В гóроде мнóго музéев: э́то Эрмитáж, Рýсский музéй, музéй А.С. Пýшкина. Эти музéи — сáмые извéстные в странé.

В 1924 (ты́сяча девятьсóт двáдцать четвёртом) годý Сáнкт-Петербýрг получи́л нóвое *назвáние** — Ленингрáд. Сейчáс э́тот гóрод называ́ется, как и рáньше, Сáнкт-Петербýрг.

В гóроде éсть пáмятник **основáтелю** Петербýрга — Петрý I. Этот пáмятник — сáмый **извéстный** и сáмый люби́мый в гóроде.

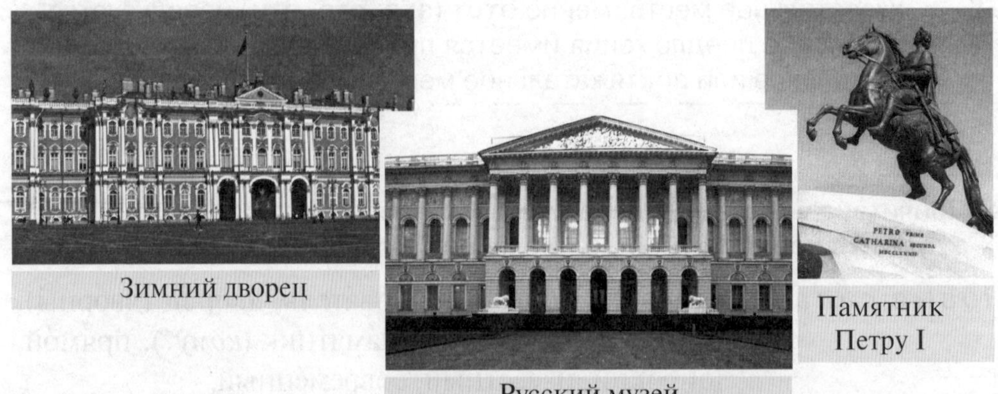

Зимний дворец

Русский музей

Памятник Петру I

б) Дайте название тексту.

Задание 3.

а) Покажите фотографии Москвы вашему другу, который приехал из Петербурга, и ответьте на его вопросы.

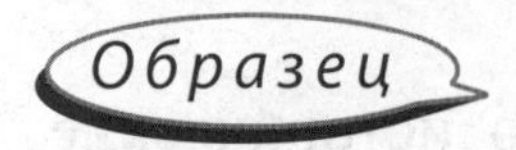

— Это Красная площадь.
— А **где находится** эта площадь?
— Эта площадь **находится** в центре Москвы.

---

* Здесь и далее в текстах курсивом выделены слова, не предназначенные для активного владения.

- Московский университет — *недалеко от* станции метро «Университет»;
- музей-квартира А.С. Пушкина — улица Арбат;
- памятник Петру I — берег Москвы-реки;
- старое здание МГУ — центр Москвы;
- известные московские музеи — Кремль;
- центральная музыкальная школа — недалеко от станции метро «Арбатская»;
- памятник основателю Москвы — площадь «Тверская»;
- геологический музей — здание МГУ.

Красная площадь

Памятник Юрию Долгорукому

МГУ (новое здание)

МГУ (старое здание)

б) Познакомьте вашего друга с другими достопримечательностями Москвы по открыткам.

Это **самый большой** парк Москвы.
Этот парк **называется** «Сокольники».

- Самый старый собор Москвы — Успенский;
- самое высокое *жилое* здание — Триумф-палас;
- самая красивая гостиница — «Националь»;
- самый старый вокзал — Ленинградский;
- самая длинная улица — Профсоюзная;
- самая маленькая улица — Ленивка;
- самый широкий проспект — Ленинский;
- самый известный театр России — Большой.

Успенский собор

Гостиница «Националь»

Ленинградский вокзал

Триумф-палас

Задание 4.

Посмотрите петербургские фотографии вашего друга, задайте ему вопросы и выслушайте ответы.

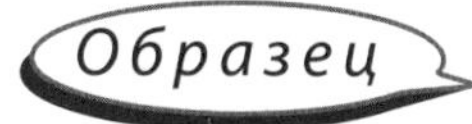

— Это **самый известный** музей Петербурга.
— А **как называется** этот музей?
— Этот музей называется Эрмита́ж.

- Самая красивая улица в Петербурге — Не́вский проспект;
- самая красивая площадь — Дворцо́вая;
- самый известный музыкальный театр — Марии́нский;
- самые необычные музеи — музей шоколада и музей хлеба;
- самый известный памятник — памятник Петру I;
- самая длинная прямая улица — Варша́вское шоссе;
- самый красивый дворец — Зи́мний;
- самое красивое современное здание — «планета Непту́н»;
- самый длиный *мост* — мост Александра Не́вского;
- моя самая любимая улица — улица Ро́сси.

Невский проспект

Дворцовая площадь

Задание 5.

а) Прочитайте предложения и скажите, как изменяются прилагательные, притяжательные местоимения, порядковые числительные, указательное местоимение **эта** женского рода единственного числа.

Материал для наблюдения

- Первые здания будущ**ей** российск**ой** столицы построили уже в XI веке.
- Известные русские поэты подарили (посвятили) наш**ей** любим**ой** Москве прекрасные стихи.
- Москвичи любят Красн**ую** площадь, эт**у** сам**ую** красив**ую** площадь города.
- Во время экскурсии туристы познакомились с перв**ой** московск**ой** телефонн**ой** станцией.
- Известный музей русского искусства — Третьяко́вская галерея — находится на тих**ой** московск**ой** улице.

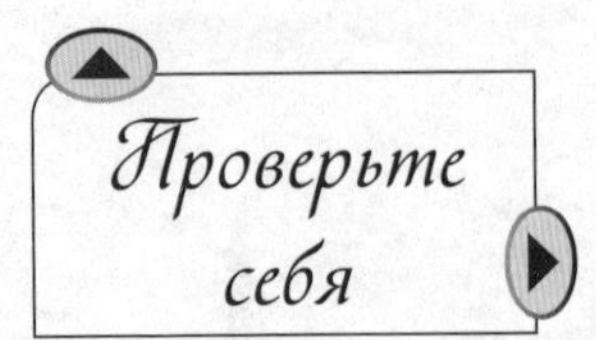

II	Р. п.*	*Кого?*	*Чего?*	**-ой/-ей**
III	Д. п.	*Кому?*	*Чему?*	**-ой/-ей**
IV	В. п.		*Кого?*	**-ую/-юю//-у/-ю**
V	Т. п.	*Кем?*	*Чем?*	**-ой/-ей**
VI	П. п.	*О ком?*	*О чём?*	**-ой/-ей**

* I форма (И. п.) изучается в учебниках элементарного уровня, в т.ч. подробно в учебнике «Наше время» (элементарный уровень).

б) Установите закономерность в изменении прилагательных, притяжательных местоимений, порядковых числительных, указательного местоимения **эта** женского рода единственного числа.

- Все указанные формы ж. р., кроме IV (В. п.), имеют одинаковое окончание **-ой** (для большинства слов) или **-ей** (все изменяемые притяжательные местоимения, прилагательные, оканчивающиеся на **-ший**, **-жий**, **-чий**, **-щий**, а также некоторые другие, например, **синий**).
- IV ф (В. п.): **-у** (эт**у**, наш**у**, ваш**у**) / **-ю** (мо**ю**, тво**ю**, сво**ю**); **-ую** (для большинства слов) / **-юю** (син**юю**, зимн**юю** и др.).

Москва-река

Задание 6.

а) Прочитайте текст. Найдите прилагательные, указательные и притяжательные местоимения женского рода единственного числа и объясните, от чего зависят их формы.

Новые слова: Росси́йская Федера́ция, дли́нный.

Москва́ — гла́вный го́род на́шей страны́, столи́ца **Росси́йской Федера́ции**. Посмотри́те на ка́рту Москвы́! Вы ви́дите Кра́сную пло́щадь, а ря́дом — Театра́льную. Она́ называ́ется так пото́му, что на э́той пло́щади нахо́дится не́сколько теа́тров. На ка́рте мо́жно найти́ гла́вную у́лицу го́рода — Тверску́ю, зда́ние са́мой большо́й

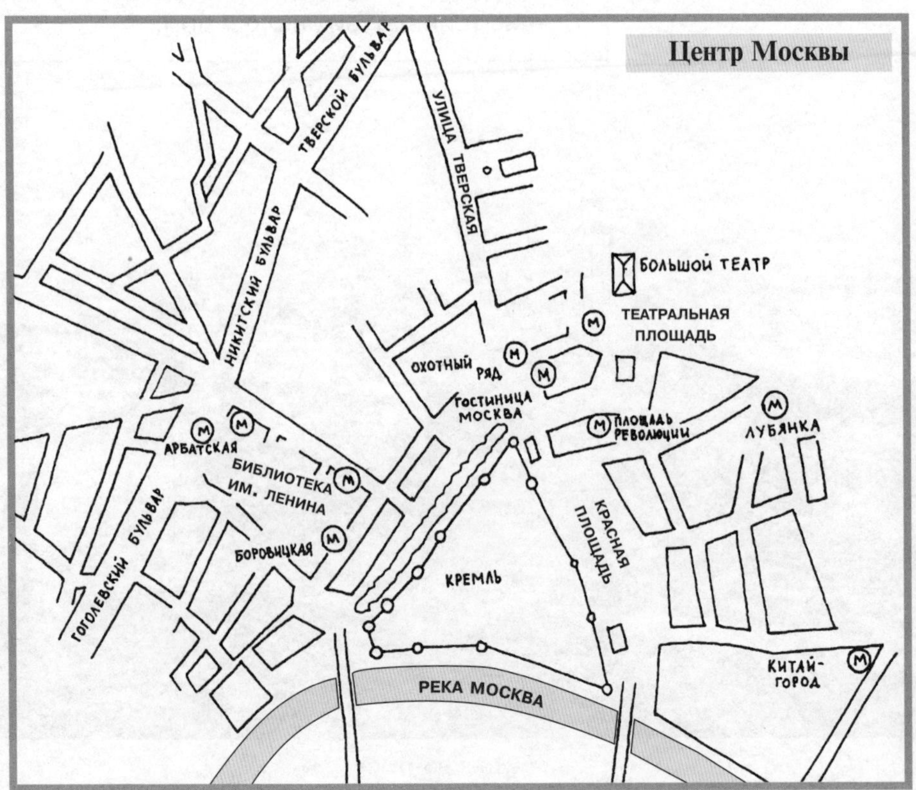

библиоте́ки Росси́и. А вы ви́дите **дли́нную** ли́нию на ка́рте? Это на́ша Москва́-река́. Если вы пое́дете на экску́рсию по реке́, вы узна́ете мно́го интере́сного о жи́зни на́шей столи́цы.

б) Выберите из предложенных названий текста наиболее точное:

- Театральная площадь
- Карта нашей столицы
- Москва-река

Таблица 2

I	И. п.	*Какая?*	нов**ая**	син**яя**	эт**а**	**-ая/-яя, -а**
II	Р. п.	*Какой?*	нов**ой**	син**ей**	эт**ой**	**-ой/-ей**
III	Д. п.	*Какой?*	нов**ой**	син**ей**	эт**ой**	**-ой/-ей**
IV	В. п.	*Какую?*	нов**ую**	син**юю**	эт**у**	**-ую/-юю; -у**
V	Т. п.	*Какой?*	нов**ой**	син**ей**	эт**ой**	**-ой/-ей**
VI	П. п.	*О какой?*	о нов**ой**	о син**ей**	об эт**ой**	**-ой/-ей**

I	И. п.	*Чья?*	наш**а** тво**я**	ваш**а** (сво**я**)	мо**я**,	**-а/-я**
II	Р. п.	*Чьей?*	наш**ей** тво**ей**	ваш**ей** (сво**ей**)	мо**ей**	**-ей**
III	Д. п.	*Чьей?*	наш**ей** тво**ей**	ваш**ей** (сво**ей**)	мо**ей**	**-ей**
IV	В. п.	*Чью?*	наш**у** тво**ю**	ваш**у** (сво**ю**)	мо**ю**	**-у/-ю**
V	Т. п.	*Чьей?*	наш**ей** тво**ей**	ваш**ей** (сво**ей**)	мо**ей**	**-ей**
VI	П. п.	*О чьей?*	о наш**ей** тво**ей**	ваш**ей** (о сво**ей**)	мо**ей**	**-ей**

Задание 7.

Посмотрите на таблицу 2 и дополните предложения подходящими по смыслу прилагательными, порядковыми числительными или притяжательными (указательными) местоимениями в правильной форме.

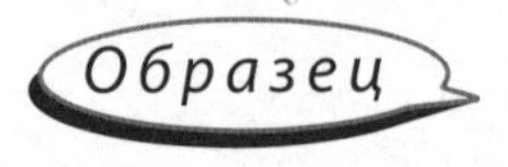

У подруги нет **ручки**. — У **моей** подруги нет **красной** ручки.

1. Я люблю **литературу**.
2. Вы написали **книгу о дочери**.
3. **Сестра** хочет познакомиться **со страной**.
4. **Преподаватель** объяснил **студентке грамматику**.
5. **Бабушка** живёт **в деревне**.
6. **В среду** мы поедем **на экскурсию**.
7. **Девушка** взяла **газету в библиотеке**.
8. **На улице** нет **аптеки**.
9. **Девочка** учится **в школе**
10. **У сестры** есть **работа**.
11. **В книге** не было **страницы**.

Задание 8.

Задайте уточняющий вопрос. Выслушайте ответ.

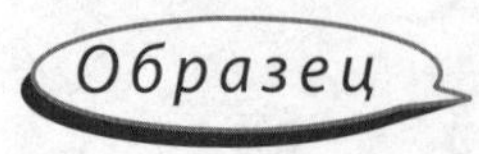

Я люблю **музыку**. — **Какую музыку** ты любишь?
— **Народную**.

1. Недавно мы были на **выставке**.
2. Молодой человек разговаривает с **девушкой**.
3. Здесь строят здание **библиотеки**.
4. Анна ждёт **подругу**.
5. В субботу студенты пойдут **на лекцию**.
6. Девочка пишет буквы в **тетради**.

7. Антон думает о **сестре**.
8. Мы занимаемся в **аудитории**.
9. Ирина позвонила **подруге**.
10. Я слушаю **песню**.

Задание 9.

а) Прочитайте предложения и скажите, как изменяются прилагательные, порядковые числительные, притяжательные местоимения, указательное местоимение **этот** (**это**) мужского и среднего рода единственного числа.

Материал для наблюдения

- Здание наш**его** перв**ого** университета находилось на месте Исторического музея в Москве.
- Все россияне помогали наш**ему** прекрасн**ому** городу строить Храм Христа Спасителя.
- Студенты часто вспоминают перв**ого** преподавателя, подготовительн**ый** факультет и студенческ**ое** общежитие.
- Петербург стал перв**ым** европейск**им** городом России.
- Экскурсовод рассказывал о Кремле — эт**ом** прекрасн**ом** стар**ом** центре столицы.

б) Установите закономерность в изменении прилагательных, притяжательных (указательных) местоимений, порядковых числительных мужского и среднего рода единственного числа.

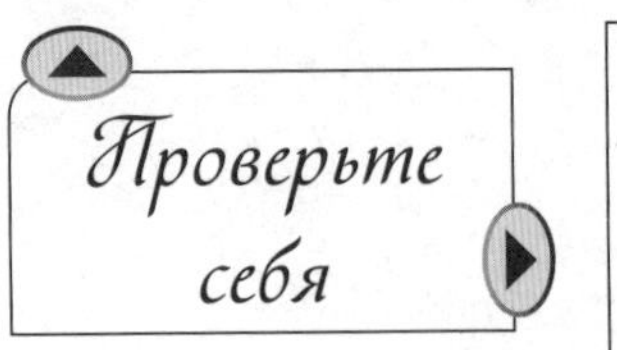

Падежные окончания во всех формах, кроме V ф. (Т. п.) и IV ф. (В. п., вопросы *что? куда?*), совпадают с основными падежными вопросами*:

II	Р. п.	*Кого?* *Чего?*	**-ого**	**/-его**
IV	В. п.	*Кого?*	**-ого**	**/-его**
III	Д. п.	*Кому?* *Чему?*	**-ому**	**/-ему**
VI	П. п.	*О ком?* *О чём?*	**-ом****	**/-ем***** **/-ём**
V	Т. п.	*Кем?* *Чем?*	**-ым****	**/-им******
IV	В. п.	*Что?* *Куда?*	= I (И.п.)	

---

* имеются в виду падежные вопросы к одушевлённому существительному: *кого? чего? кому? чему?* и т.д.

** для большинства слов.

*** для всех изменяемых притяжательных местоимений, прилагательных, оканчивающихся на **-ший**, **-жий**, **-чий**, **-щий**, а также некоторых других, например, сини**й**, домашни**й**.

**** для всех указанных слов и слов, оканчивающихся на **-кий**, **-гий**, **-хий**.

Задание 10.

а) Прочитайте текст. Найдите прилагательные, указательные и притяжательные местоимения мужского и среднего рода единственного числа и объясните, от чего зависят их формы.

Новые слова: а́втор, ску́льптор.

В це́нтре Москвы́, на Тверско́й у́лице, *стои́т* па́мятник вели́кому ру́сскому поэ́ту А.С. Пу́шкину. Москвичи́ и го́сти столи́цы хорошо́ зна́ют и лю́бят э́тот па́мятник. Его́ **а́втор** — тала́нтливый **ску́льптор** А.М. Опеку́шин. У э́того прекра́сного па́мятника всегда́ мно́го цвето́в. А.С. Пу́шкин роди́лся в Москве́, жил зде́сь в де́тские го́ды и написа́л мно́го стихо́в о родно́м го́роде. Он был са́мым изве́стным ру́сским поэ́том, вот почему́ в ка́ждом росси́йском го́роде, где А.С. Пу́шкин жил и́ли *быва́л*, е́сть па́мятники, е́сть музе́и вели́кого поэ́та.

Памятник А.С. Пушкину

б) Скажите, почему у памятника А.С. Пушкину всегда много цветов.

Таблица 3

I	И. п.	*Какой?*	нов**ый**	син**ий**	это**т**	**-ый/-ий; ∅**
		Какое?	нов**ое**	син**ее**	эт**о**	**-ое/-ее; -о**
II	Р. п.	*Какого?*	нов**ого**	син**его**	эт**ого**	**-ого/-его**
III	Д. п.	*Какому?*	нов**ому**	син**ему**	эт**ому**	**-ому/-ему**
IV	В. п.	*Какой?*	нов**ый**	син**ий**	это**т** (словарь)	**-ый/-ий; ∅**
		Какое?	нов**ое**	син**ее**	эт**о** (пальто)	**-ое/-ее; -о**
		Какого?	нов**ого**	хорош**его**	эт**ого** (друга)	**-ого/-его**
V	Т. п.	*Каким?*	нов**ым**	син**им**	эт**им**	**-ым/-им**
VI	П. п.	*О каком?*	о нов**ом**	о син**ем**	об эт**ом**	**-ом/-ем**

I	И. п.	*Чей?*	мой наш	твой ваш	(свой)	**-й, ∅**
		Чьё?	мо**ё** наш**е**	тво**ё** ваш**е**	(сво**ё**)	**-ё, -е**
II	Р. п.	*Чьего?*	мо**его** наш**его**	тво**его** ваш**его**	(сво**его**)	**-его**
III	Д. п.	*Чьему?*	мо**ему** наш**ему**	тво**ему** ваш**ему**	(сво**ему**)	**-ему**
IV	В. п.	*Чей?*	мой наш	твой ваш	(свой) (словарь)	**-й, ∅**
		Чьё?	мо**ё** наш**е**	тво**ё** ваш**е**	(сво**ё**) (пальто)	**-ё, -е**
		Чьего?	мо**его** наш**его**	тво**его** ваш**его**	(сво**его**) (друга)	**-его**
V	Т. п.	*Чьим?*	мо**им** наш**им**	тво**им** ваш**им**	(сво**им**)	**-им**
VI	П. п.	*О чьём?*	о мо**ём** о наш**ем**	о тво**ём** о ваш**ем**	(о сво**ём**)	**-ём/ -ем**

Задание 11.

Посмотрите на таблицу и дополните предложения подходящими по смыслу прилагательными, притяжательными (указательными) местоимениями, порядковыми числительными в правильной форме.

У **друга** нет **карандаша**. — У **моего** друга нет **простого** карандаша.

1. Я обещал **отцу** хорошо учиться.
2. **Декан** рассказал **студенту** о **факультете**.
3. Мы сделали **задание**.
4. **Друг** ходил в **музей**.
5. **В Кремле** есть **парк**.
6. **Мальчик** изучает **язык**.
7. **Студент** не хочет жить **в общежитии**.
8. Я стану **инженером**.
9. Шум в **метро** мешает **человеку** читать.
10. **У отца** есть **дом**.
11. **В декабре** мы сдадим **экзамен**.

Задание 12.

Задайте уточняющий вопрос. Выслушайте ответ.

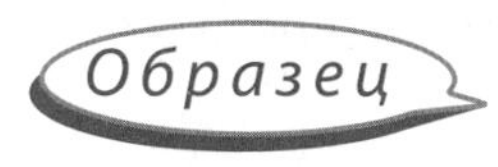

Я жду **друга**. — **Какого** друга ты ждёшь? — **Школьного**.

1. Ирина смотрит **фильм**.
2. Мой отец работает **на заводе**.
3. Музей находится в центре **города**.
4. Саша едет **в университет**.
5. Антон хочет взять **учебник**.
6. Дети играют в баскетбол **в зале**.
7. Мы сдали тетради **преподавателю**.

8. Я пригласил **брата** в гости.
9. Декан разговаривает **со студентом**.
10. Сын написал матери **письмо**.

Задание 13.

Составьте предложения по образцу, используя глаголы **любить**, **знать**, **видеть**.

Эта страна и этот город. Я **знаю** эту страну и этот город.

- Наша группа и наш университет;
- русский язык и русская литература;
- моя родина и мой народ;
- мой отец и моя мать;
- старшая сестра и старший брат;
- это здание и эта площадь;
- эта улица и этот дом;
- новогодний вечер и новогодняя ночь;
- известный футболист Пеле и современный футбол.

Задание 14.

Обещайте, что вы подарите (купите) человеку то, чего у него нет.

Наша старшая сестра — **золотое кольцо**
Если у нашей старшей сестры нет **золотого кольца**, мы подарим нашей старшей сестре **золотое кольцо**!

- Моя младшая сестра — красивая *кукла*;
- наш новый сосед — *электрический чайник*;
- твоя старая бабушка — новый телевизор;
- ваша семья — наша фотография;

- маленький футболист — футбольный мяч;
- твой старший брат — современный компьютер;
- моя подруга — красивая сумка;
- твой отец — хороший мобильник;
- новый студент — синяя ручка и простой карандаш.

Задание 15.

Скажите, что вы поможете человеку осуществить его желания.

Мой брат — российский город Петербург.
Если мой брат **хочет** больше **знать** о российском городе Петербурге, я **поеду** с моим братом в этот город.

- Моя сестра — самая красивая улица в Петербурге;
- новый студент — ваш технический университет;
- твой старый отец — наша современная поликлиника;
- маленький мальчик — московский стадион «Динамо»;
- иностранный студент — Красная площадь;
- американский турист — Русский музей;
- мой друг — Третьяковская галерея;
- наш преподаватель — новое общежитие.

Задание 16.

а) Посмотрите значение следующих слов в словаре:

правительство
промышленность *(ж. р.)*
развивать(ся) I
князь *(м. р.)*
посольство
церковь *(ж. р.)*
крепость *(ж. р.)*
башня
защищать I — **защитить** II
кого? что? от кого? от чего?
чистый
автомобиль *(м. р.)*

б) Прослушайте объяснение преподавателя и постарайтесь понять значение следующих слов:

деревянная (стена), **каменная** (стена), **флаг**, **самолёт**, **холодильник**, **одежда**, **обувь** *(ж. р.)*.

в) Прочитайте интернациональные слова и постарайтесь понять их значение. В случае затруднения посмотрите слова в словаре:

политика, культура, академия, президент, парламент, экология, проблема.

г) Прочитайте слова и предложения. Постарайтесь понять значение выделенных слов самостоятельно.

Называть I — **назвать** I *кого? что? как?* (V ф. Т. п.) = дать имя *кому? чему?*

Родители **назвали** сына Иван**ом**.
Москву **называют** центр**ом** науки и культуры России.

Что (с)делать?	*Кто?*	*Что?*
жить	**житель**	
учиться	**учёный**	наука
назвать		**название**

В Российской Академии наук работают известные **учёные**. В 1991 году город Ленинград получил старое **название** — Санкт-Петербург.

Выпускать I — **выпустить** II *что?* ≈ **делать** I — **сделать** II *что?*

Московские заводы **выпускают** автомобили, фотоаппараты, часы и многое другое.

государство ≈ страна
древний = очень старый
грязный ≠ чистый
лучший = самый хороший

Задание 17.

а) Обратите внимание на новые конструкции.

> **Чтобы + инфинитив … , нужно + инфинитив**

Чтобы хорошо **знать** Москву, **нужно изучать** её историю.

> **Не только** *что* **… , но и** *что* **…**

Студенты изучают **не только** русский язык, **но и** математику, физику.

б) Обратите внимание на то, что слово **площадь** может употребляться в разных значениях:

Красная **площадь** находится в центре Москвы.
Площадь Москвы — почти 2560 км^2 (квадратных километров).

Задание 18.

а) Укажите слова, выпадающие из тематического ряда:

основать, выпускать, делать, называть, строить;
дворец, собор, посольство, учёный, церковь;
президент, промышленность, правительство, парламент.

б) Составьте пары слов, близких по значению:

в) Составьте пары слов, далёких по значению:

чистый	древний
молодой	грязный
современный	шумный
тихий	старый

г) Продолжите тематический ряд:

- Одежда — это шапка, ...
- Обувь — это туфли, ...
- Исторические памятники — это крепость, ...

д) Соотнесите существительное и прилагательное:

Что?	*Какой?*
государство	промышленный
политика	экологический
культура	научный
наука	политический
промышленность	государственный
экология	культурный

Задание 19.

Как вы понимаете:

а) значение выражения:

видеть своими глазами;

б) значение пословиц:

- Лучше один раз увидеть, чем сто раз услышать.
- Москва — всем городам мать.

Задание 20.

а) Прочитайте письмо Мигеля о Москве. В нём будут новые слова, которые не помешают вам понять рассказ Мигеля. Скажите, что нового вы узнали о Москве.

б) Выберите название, которое наиболее точно передаёт содержание рассказа Мигеля:

- Кремль и Красная площадь
- Москва
- Москвичи

Здра́вствуй, дорого́й Хуа́н!

Извини́, что я до́лго не писа́л тебе́. Вот уже́ два ме́сяца я живу́ и учу́сь в Москве́ и хочу́ расска́зать тебе́ об э́том прекра́сном го́роде. Коне́чно, что́бы хорошо́ узна́ть Москву́, ну́жно *прожи́ть* зде́сь не́сколько лет. Но и сейча́с я уже́ немно́го зна́ю Москву́, потому́ что в свобо́дное вре́мя я ча́сто гуля́ю по го́роду. Ра́ньше я мно́го слы́шал о Москве́, но, как говоря́т ру́сские, **лу́чше оди́н раз уви́деть, чем сто раз услы́шать**.

Ты, коне́чно, зна́ешь, что Москва́ — э́то большо́й **совреме́нный** го́род: здесь живёт 12 миллио́нов челове́к, а **пло́щадь** Москвы́ **составля́ет** 2560 км^2 (квадра́тных киломе́тров) вме́сте с райо́нами Но́вой Москвы́. В Москве́ 9 вокза́лов, 5 аэропо́ртов и 3 ты́сячи у́лиц и проспе́ктов.

Москва́ — э́то гла́вный го́род Росси́и, столи́ца Росси́йской Федера́ции. Зде́сь рабо́тают росси́йский **президе́нт**, **парла́мент** и **прави́тельство** страны́, нахо́дятся **посо́льства** ра́зных стран. Вот почему́ говоря́т, что Москва́ — э́то *полити́ческий* це́нтр Росси́и.

Ты́сячи тури́стов из Евро́пы, Азии, Африки, Аме́рики, Австра́лии хотя́т познако́миться с э́тим интере́сным и необы́чным го́родом. Москва́ — го́род **дре́вний** и всегда́ молодо́й. Зде́сь е́сть широ́кие совреме́нные у́лицы, но́вые *многоэта́жные* зда́ния, большие *супермаркеты*. И в то же время здесь можно увидеть очень красивые старые здания, **древние** соборы и **церкви**, исторические памятники. Старое и новое в Москве всегда рядом.

Недавно наша группа была на экскурсии. *Экскурсовод* рассказал нам об истории Москвы. Я узнал, что Москва — очень старый город. В 1147 (тысяча сто сорок седьмом) году русский **князь** Юрий Долгорукий **основал** город на берегу реки Москвы. Здесь он построил первый московский Кремль. Кремль — это **крепость**, которая **защищала жителей** города от врагов. **Стены** и **башни** первого московского Кремля были **деревянные**. Город быстро **развивался**. В 15 (пятнадцатом) веке здесь построили новые **каменные стены**, прекрасные дворцы, соборы, **церкви**. Русские люди говорили о Москве так: «Москва — всем городам мать».

Во время экскурсии мы были в Кремле и на Красной площади. Раньше я читал о Кремле, и я очень рад, что сейчас могу **видеть** его **своими глазами**. Кремль — это сердце Москвы. Он находится в центре города. *Над* Кремлём *трёхцветный* российский флаг. Экскурсовод рассказал нам историю этого флага, но я не всё понял. Запомнил только цвета флага: белый, синий, красный. Самая красивая башня Кремля называется Спасская. На ней находятся главные часы страны — Кремлёвские куранты.

Красная площадь — самая старая и самая красивая площадь Москвы. А знаешь, почему она так называется? Раньше в русском языке слово «красная» значило «красивая», «прекрасная». Москвичи очень любят эту площадь. Здесь находятся Исторический музей, *мавзолей В.И. Ленина*, Покровский собор — сейчас это тоже музей.

Главная улица Москвы называется Тверская. Она начинается от Красной площади. Эта улица прямая, широкая и очень современная. На этой улице много магазинов, банков, кафе, ресторанов. Там всегда много туристов.

Во вре́мя экску́рсии мы бы́ли на заво́де. Я узна́л, что Москва́ — большо́й *промы́шленный* го́род. Моско́вские заво́ды и фа́брики **выпуска́ют автомоби́ли**, **самолёты**, телеви́зоры, **холоди́льники**, часы́, **оде́жду**, **о́бувь** и мно́гое друго́е.

В Москве́ у меня́ мно́го друзе́й. Все они́ студе́нты **Моско́вского госуда́рственного университе́та** и́мени М.В. Ломоно́сова, где я сейча́с учу́сь. Это са́мый ста́рый университе́т Москвы́. Сейча́с в столи́це почти́ 200 институ́тов и университе́тов, 1500 школ. Зде́сь нахо́дится **Росси́йская Акаде́мия нау́к**, нау́чные институ́ты, где рабо́тают изве́стные росси́йские **учёные**.

Московский Кремль

Спасская башня

Российская государственная библиотека

Москвичи́ лю́бят чита́ть, поэ́тому в го́роде мно́го библиоте́к. Зде́сь нахо́дится са́мая больша́я библиоте́ка страны́ — Росси́йская госуда́рственная библиоте́ка. В не́й 30 миллио́нов книг, газе́т и журна́лов.

Ещё я хочу́ рассказа́ть тебе́ о Большо́м теа́тре. Это теа́тр *о́перы* и *бале́та*. Зде́сь *выступа́ют* лу́чшие арти́сты страны́. Этот теа́тр зна́ют во всём ми́ре. В Москве́ 129 теа́тров, 2 ци́рка, мно́го музе́ев, вы́ставок, кинотеа́тров. Тепе́рь я понима́ю, почему́ Москву́ называ́ют нау́чным и культу́рным це́нтром Росси́и. Я ду́маю, что жи́ть в тако́м го́роде о́чень интере́сно.

Но в то же вре́мя в Москве́ е́сть серьёзные **экологи́ческие пробле́мы**. В го́роде е́сть заво́ды, фа́брики, мно́го маши́н. Поэ́тому во́здух зде́сь **гря́зный**, о́чень шу́мно.

Москва́ — э́то не то́лько у́лицы, пло́щади и зда́ния, э́то и москвичи́, **жи́тели** го́рода. Москвичи́ живу́т, как живу́т лю́ди в ка́ждом большо́м го́роде ми́ра: у́тром и днём они́ рабо́тают и́ли уча́тся, а в свобо́дное вре́мя иду́т в библиоте́ки, теа́тры, спорти́вные за́лы, слу́шают му́зыку, смо́трят но́вые фи́льмы. Москвичи́ о́чень лю́бят родно́й го́род и хотя́т сде́лать его́ са́мой краси́вой, чи́стой и зелёной столи́цей в ми́ре.

Я о́чень рад, что живу́ и учу́сь в Москве́. Ле́том я хочу́ пое́хать в Са́нкт-Петербу́рг. Я *обяза́тельно* напишу́ тебе́ об э́том го́роде.

До свида́ния. Тво́й дру́г Миге́ль.

Задание 21.

а) Ответьте на вопросы.

1. Где живёт и учится Мигель?
2. Кому он написал письмо?
3. О чём Мигель рассказал в письме?
4. Где Мигель уже был в Москве?
5. Куда он хочет поехать летом?

б) Согласитесь с высказыванием. Дополните его. Нужную информацию вы найдете в тексте задания 20.

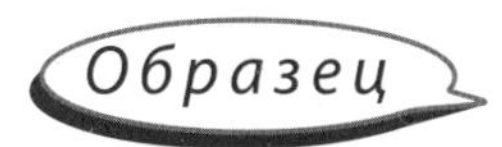

Москва — самый большой город в России.
Да, Москва — самый большой город в России. Здесь живёт 12 миллионов человек.

1. Москва — очень старый город.
2. Сейчас Москва — это политический центр страны.
3. Старое и новое в Москве всегда рядом.
4. Кремль и Красная площадь — исторический центр Москвы.
5. Москва — промышленный город.
6. Москва — центр науки и культуры.
7. Москва — это не только улицы, площади и здания, это и москвичи.

Задание 22.

Найдите в тексте ответы на следующие вопросы.

1. Кто и когда основал Москву?
2. Какой сейчас это город?
3. Почему мы говорим, что Кремль — сердце Москвы?
4. Почему Красная площадь так называется?
5. Что находится на Красной площади?
6. Как называется главная улица Москвы?
7. Что выпускают московские заводы и фабрики?
8. Сколько в Москве университетов и институтов?
9. Что вы узнали о Московском государственном университете?
10. Как называется самая большая библиотека?
11. Как называется самый известный театр Москвы?
12. Какие проблемы есть в большом городе?
13. Что делают москвичи в свободное время?

Задание 23.

а) Прочитайте план текста. Расположите пункты плана в правильном порядке.

1. История Москвы.
2. Кремль и Красная площадь.
3. Москва – промышленный центр.
4. Жители столицы – москвичи.
5. Москва – политический центр.
6. Экологические проблемы города.
7. Москва – центр науки и культуры.
8. Старое и новое в Москве всегда рядом.

б) Определите в тексте задания 20 границы каждой части по плану. Напишите правильный вариант плана в тетради.

Задание 24.

Расскажите о Москве по записанному вами плану. В рассказе используйте следующие слова и словосочетания:

столица Российской Федерации, 12 миллионов человек, площадь Москвы, политический центр, президент России, парламент, правительство, посольства разных стран, князь Юрий Долгорукий, основать, защищать, исторические памятники, российский флаг, Красная площадь, промышленный город, выпускать, научный и культурный центр, экологические проблемы, чистая и зелёная столица.

Задание 25.

Расскажите, где вы уже были в Москве. Какие интересные места (улицы, площади, памятники) вы видели. Что вы можете сказать о москвичах: какие это люди; где они работают или учатся, как они отдыхают?

Задание 26.

Составьте и напишите план рассказа о столице вашей страны. Расскажите о ней.

Задание 27.

Прочитайте предложения и постарайтесь понять, когда мы используем притяжательное местоимение **свой**.

Материал для наблюдения

- **Я** люблю **мою** сестру. = **Я** люблю **свою** сестру. **Ты** помогаешь **твоему** брату. = **Ты** помогаешь **своему** брату.
- **Мы** работаем с **нашим** преподавателем. = **Мы** работаем со **своим** преподавателем.
- **Вы** живёте в **вашем** общежитии. = **Вы** живёте в **своём** общежитии.

Но:

- Это Антон. Это Андрей. Антон любит **его** сестру (это сестра Андрея или Антона?). Антон любит **свою** сестру (это сестра Антона).
- Это Анна. Это Марта. Анна любит **её** брата (это брат Марты или Анны?). Анна любит **своего** брата (это брат Анны).
- Это Антон и Андрей. Это Анна и Марта. Антон и Андрей любят **их** преподавателей (это преподаватели Анны и Марты или Антона и Андрея?). Антон и Андрей любят **своих** преподавателей (это преподаватели Антона и Андрея).

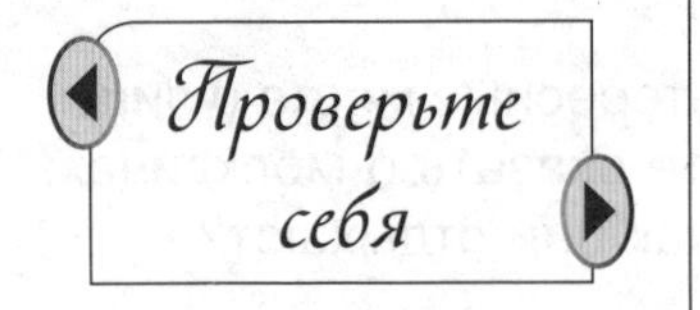

- Местоимение **свой** изменяется, как местоимения **мой**, **твой** *(м. р., ж. р., ср. р.)*.
- Местоимение **свой** используется факультативно в I и II лице ед. и мн. ч.
- Местоимение **свой** используется обязательно **в III лице ед. и мн. ч.**, чтобы уточнить связи между лицами или предметами в предложении.

Задание 28.

Вставьте нужное притяжательное местоимение 3 лица в правильной форме.

1. Экскурсовод рассказывает о ... городе. Мы слушаем ... рассказ.
2. Это Анна. Это ... картина. Она показывает ... картину. Друзья смотрят ... картину.
3. Поэт читает ... стихи. Студенты любят ... стихи.
4. Антон звонит ... сыну. Вы знаете ... сына?
5. Это Анна и ... дочь. Я часто разговариваю с ... дочерью.
6. Ахмед вспоминает ... семью. Он часто думает о ... семье.
7. Студенты пишут диктант в ... аудитории. Аудитория № 381 — это ... аудитория.
8. Ира живёт в ... родном городе. Она хорошо знает ... родной город.

Задание 29.

Вставьте нужное притяжательное местоимения. Укажите возможные варианты.

1. Это игрушки Наташи. Наташа взяла ... игрушку. Марина взяла ... игрушку.
2. Новые студенты учатся в группе № 5. Ирина Ивановна ... преподаватель. Группа № 5 — это ... группа. Ирина Ивановна любит ... группу. Студенты слушают ... преподавателя.
3. Россияне любят ... столицу. Москва — это ... город. Здесь они построили ... первый университет, ... первую линию метро.

4. Специальность Джона — лётчик. Джон любит ... профессию, а ... мама не любит ... профессию. Мама просит ... сына **изменить ...** профессию.

5. Это магнитофон моей сестры. Я люблю ... сестру, но не люблю ... магнитофон. ... сестра всегда **включает ...** магнитофон, а я всегда **выключаю ...** магнитофон, потому что ... любимая музыка мешает мне заниматься.

6. На столе лежат тетради студентов. Каждый студент берёт ... тетрадь, а Пол взял не только ... тетрадь, но и тетрадь Гвенды. Он объяснил, что Гвенда больна и он передаст ей ... тетрадь.

7. Ты советуешь ... другу серьёзно заниматься, но он не слушает ... советы. Он слушает советы ... подруги, которая редко ходит в институт.

8. Вчера вы поздравили ... маму с днём рождения. Вы подарили ... маме цветы, а ... любимая подруга подарила ей **котёнка**. ... мама была очень рада, когда увидела этот необычный подарок.

Задание 30.

а) Посмотрите значение следующих слов в словаре:

проходить II — **пройти** I *где?*	**рояль** *(м. р.)*
природа	**озеро**
праздник	**лицо**
прибор	**лес**

б) Прочитайте интернациональные слова и постарайтесь понять их значение. В случае затруднения посмотрите эти слова в словаре:

архитектура, композитор.

в) Постарайтесь понять значение выделенных слов самостоятельно.

Кто?	*Что?*	*Какой?*	*Что (с)делать?*
родители	родина	родной	**родиться**

Клин — мой родной город, потому что здесь я **родился**.

Недалеко от *чего*? (II Р. п.) ≈ рядом

г) Обратите внимание на новые конструкции.

что **(И. п.) проходит** *где?* **(П. п.)**

Урок **проходит** в аудитории.
В городе **проходят** музыкальные праздники.

	Он	согласен
Я не согласен!	Она	согласна
	Они	согласны

Задание 31.

а) Текст, который вы сейчас будете читать, называется «Город Клин». Как вы думаете, о чём (что) вы узнаете из текста?

б) Прочитайте текст. Скажите, хорошо или плохо жить в маленьком городе? Почему вы так думаете?

Город Клин

В Росси́и мно́го городо́в: больши́е и ма́ленькие, изве́стные и не о́чень. Все́ зна́ют Москву́, Са́нкт-Петербу́рг, Волгогра́д. А я хочу́ рассказа́ть вам о своём родно́м го́роде. Этот го́род называ́ется Клин. Здесь я **роди́лся**, учи́лся в шко́ле, здесь живёт моя́ семья́.

Го́род Клин нахо́дится **недалеко́ от** Москвы́ на берегу́ реки́ Сестры́. Это о́чень ста́рый го́род. Ра́ньше в ка́ждом ру́сском го́роде стро́или кре́мль. В Клину́ то́же был сво́й кре́мль, как и в Москве́. Сейча́с в го́роде нет кремля́, но е́сть о́чень ста́рые краси́вые зда́ния, це́ркви, необы́чные дома́. Это — па́мятники **архитекту́ры** го́рода.

У ка́ждого го́рода е́сть своё **лицо́** и своя́ исто́рия. Наш го́род небольшо́й и ти́хий. Но э́тот го́род хорошо́ зна́ют в Росси́и, потому́ что зде́сь жил и рабо́тал *вели́кий* ру́сский **компози́тор** Пётр Ильи́ч Чайко́вский. Здесь он написа́л свои́ лу́чшие *о́перы*, *бале́ты*, *симфо́нии*. В Клину́ нахо́дится дом-музе́й П.И. Чайко́вского. Там мо́жно уви́деть его́ ве́щи: **роя́ль**, кни́ги, пи́сьма, фотогра́фии. Ка́ждый год в де́нь рожде́ния **компози́тора** здесь **прохо́дят** *музыка́льные* **пра́здники**, *звучи́т* прекра́сная му́зыка Чайко́вского.

Сейча́с Кли́н — э́то совреме́нный го́род. Зде́сь постро́или но́вые дома́, больши́е магази́ны, шко́лы, кинотеа́тры, *конце́ртный* зал. В го́роде не́сколько заво́дов и фа́брик. Они́ выпуска́ют оде́жду, о́бувь, *медици́нские* **прибо́ры**.

Мно́гие ду́мают, что жи́ть в ма́леньком го́роде неинте́ресно. Я **не согла́сен**! Коне́чно, у нас нет своего́ Большо́го теа́тра и своего́ метро́, как в Москве́. Но кака́я зде́сь **приро́да**! Наш го́род о́чень зелёный, здесь мно́го па́рков и садо́в. Недалеко́ от го́рода есть большо́е **о́зеро**. Там о́чень краси́во. А ско́лько там ры́бы! Ря́дом большо́й **лес**. Жи́тели го́рода лю́бят зде́сь отдыха́ть.

В Клину́ ма́ло заво́дов, ма́ло маши́н, поэ́тому зде́сь чи́стый во́здух и нет пробле́м эколо́гии, как в Москве́.

У меня́ мно́го друзе́й. Все они́ живу́т недале́ко. Ка́ждый де́нь я ви́жу их на у́лице, мы вме́сте рабо́таем и отдыха́ем. Как ви́дите, жи́ть в ма́леньком го́роде *совсе́м* непло́хо! Я люблю́ сво́й родно́й го́род и хорошо́ зна́ю его́.

Дом-музей П.И. Чайковского. г. Клин

Задание 32.

Найдите в тексте ответы на вопросы:

1. Где находится город Клин?
2. Какие памятники архитектуры есть в городе?
3. Какой музей есть в городе и почему?
4. Что можно увидеть в музее П.И. Чайковского?
5. Почему можно сказать, что Клин — современный город?
6. Какая там природа?
7. Почему автор любит свой родной город?

Задание 33.

Составьте предложения из данных слов.

- На, урок, студенты, город, рассказать, родной, свой, о.
- Друзья, жить, мой, маленький, город, тихий, в.
- Фабрики, одежда, обувь, выпускать, приборы, медицинский, и.
- Город, жители, любить, берег, озеро, отдыхать, на.
- П.И. Чайковский, композитор, написать, музыка, прекрасный, великий.

Задание 34.

Составьте план рассказа о вашем родном городе. Расскажите о нём. Вам помогут следующие вопросы.

1. Где находится ваш родной город?
2. Что вы знаете об истории города?
3. Какие памятники архитектуры есть в вашем городе?
4. Есть ли в вашем родном городе заводы, фабрики, университеты, школы, музеи, театры?
5. Есть ли в вашем городе экологические проблемы?
6. Какая там природа?
7. Любите ли вы родной город и почему?

ЭТО ВЫ УЖЕ ЗНАЕТЕ

Окончания прилагательных, порядковых числительных, указательных/притяжательных местоимений в форме ж. р. ед. ч.:

-ая/-яя

IV ф В. п.: **-у/-ю**; **-ую/-юю**

Окончания прилагательных, порядковых числительных, указательных/притяжательных местоимений в форме ср. р., м. р. ед. ч.:

-ий/-ый/-ой

IV ф (В. п.): *что?* = I ф (И. п.)

V ф (Т. п.): **-ым/-им**)

Выбрать нужное окончание помогают основные падежные вопросы*.

(1) Слушайте преподавателя, читайте вопросы и отвечайте на них.

1. Вы знаете историю российской столицы?
2. Вы уже были в московском Кремле? А ваши друзья?
3. Что они видели там?
4. Вы видели древние соборы, церкви в Москве? А деревянные здания?
5. Что такое «сегодняшняя Москва»?
6. Почему можно сказать, что Кремль — это сердце Москвы?

(2) Объясните по-русски значение слов и словосочетаний:

президент, современный город, трёхцветный флаг, основать, промышленный город, город науки и культуры.

---

* Имеются в виду падежные вопросы к одушевлённому существительному: *кого? кому?* и т.д.

Урок

Речевые образцы	**Мне нравится** русская природа. **Молодому человеку** всё интересно. **В аудитории** тихо. Сколько лет **вашему другу**?
Грамматический материал	Д. п. при глаголе **нравиться**; Д. п./ П. п. в безличных предложениях; Д. п. возраста.
Тексты	*«Вчера Андрей первый раз написал стихи...»* *«Подарок»*

Задание 1.

Посмотрите на таблицу 1 и постарайтесь понять специфику употребления глагола **нравиться — понравиться**.

Материал для наблюдения

Таблица 1

Кому?	**нравится**	(нравился)	этот человек.	I ф.
		(нравилась)	эта девушка.	
		(нравилось)	это слово.	
	нравятся	(нравились)	эти люди.	

Кому?	**понравится**	(понравился)	этот фильм.	I ф.
		(понравилась)	эта книга.	
		(понравилось)	это общежитие.	
	понравятся	(понравились)	эти игрушки.	

нравиться II — **понравиться** II кому?
-в/-вл **-в/-вл**

- Эта конструкция обычно начинается с формы III (Д. п.). Форма обозначает лицо, симпатизирующее кому/чему-либо.
- Заканчивает предложение форма I (И. п.) — объект симпатии.
- Эта форма I (И. п.) влияет на форму глагола.

Задание 2.

а) Прочитайте рассказ. Найдите глагол **нравиться — понравиться** и объясните, от чего зависит его форма.

Новые слова: зоопа́рк, сло́н, вспомина́ть I — вспо́мнить II *кого? что? о ком? о чём?*

Что мне нра́вится и что не нра́вится? Мно́го чего́. Мне нра́вится моро́женое и то́рт, е́сли его́ де́лает ма́ма. Мне нра́вятся расска́зы о приро́де, потому́ что я люблю́ лес и ре́ку недалеко́ от дере́вни, где живёт моя́ ба́бушка. Ещё мне нра́вится кино́. Вчера́ я смотре́л фи́льм о ма́леньком ма́льчике, он рабо́тал в ци́рке вме́сте с отцо́м. Мне о́чень понра́вился э́тот фи́льм. А в воскресе́нье мы с ма́мой ходи́ли в **зоопа́рк**, там мне понра́вились **слоны́**. Мне о́чень нра́вятся все пода́рки. Неда́вно мне подари́ли но́вую компью́терную игру́, она́ мне о́чень понра́вилась.

Что мне не нра́вится? Мне не нра́вится мо́й но́вый костю́м, я в нём *как* деревя́нный. А когда́ я был в поликли́нике, мне о́чень не понра́вилось *зубно́е кре́сло*. Что ещё? Я не могу́ вспо́мнить, потому́ что я люблю́ мно́го веще́й, а не люблю́ — ма́ло.

(По сюжету В. Драгунского)

б) Скажите, что вам нравится и что не нравится.

Задание 3.

Закончите предложения.

- Моему другу нравится **...** .
- Немецкой студентке нравится **...** .
- Этому преподавателю нравятся **...** .
- Новому студенту нравятся **...** .
- Вашей младшей сестре понравился **...** .
- Нашему старшему брату понравились **...** .

- Американскому туристу понравилось **...** .
- Твоему соседу понравилась **...** .

Задание 4.

Скажите, что раньше вам не нравилось, а сейчас нравится.

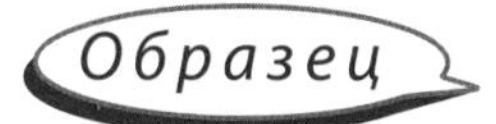

Сейчас мне **нравится** метро, а раньше **не нравилось**.

- Сейчас мне нравится погода в Москве, а шесть месяцев назад **...** .
- Сейчас мне нравится русский язык, а сначала **...** .
- Сейчас мне нравится наша группа, а месяц назад **...** .
- Сейчас мне нравятся мои соседи, а раньше **...** .
- Сейчас мне нравится наш университет, а 3 месяца назад **...** .
- Сейчас мне нравятся москвичи, а раньше **...** .
- Сейчас мне нравится Москва, а полгода назад **...** .
- Сейчас мне нравится старое здание МГУ, а сначала **...** .

Задание 5.

Скажите, какие чувства испытывает человек, используя глагол **нравиться — понравиться**:

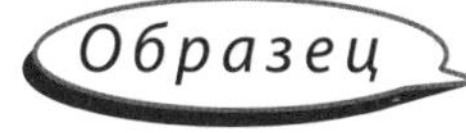

Мой младший брат сказал: «Какой **красивый** город!» — Моему младшему брату **понравился этот (красивый) город**.

- Новый студент сказал: «Какой хороший университет!»
- Старый писатель сказал: «Какие прекрасные стихи!»
- Арабская девушка сказала: «Какая интересная лекция!»
- Наш друг сказал: «Какое некрасивое здание!»
- Твой преподаватель сказал: «Какие хорошие студенты!»
- Молодой человек сказал: «Какой плохой фильм!»
- Известная журналистка сказала: «Какой талантливый артист!»
- Моя старая мать сказала: «Какое тёплое пальто!»

Задание 6.

Укажите причину, по которой вы или ваши друзья совершают это действие.

Джон часто смотрит фильм «Москва моя», **потому что** Джону нравится этот фильм.

- Виктор часто ходит в Кремль, **...** .
- Моя подруга иногда покупает рассказы А.П. Чехова, **...** .
- Марина обычно слушает современную музыку, **...** .
- Младшая сестра всегда играет с куклой Барби, **...** .
- В каждом городе я смотрю древние памятники культуры, по **...** .
- Вы читаете книгу о современном Китае, **...** .
- Мой друг стал переводчиком, **...** .
- Старший брат изучает физику и математику, **...** .

Задание 7.

Постройте предложения, используя глаголы **любить** и **нравиться**.

Максим — Елена

Максим думал, что он **любит** Елену, а **на самом деле** Максиму только **нравилась** Елена.

- Виктор — его (своя) подруга;
- Марина — молодой инженер;
- новый преподаватель — его (своя) профессия;
- молодой спортсмен — американский футбол;
- переводчик — иностранные языки;
- известная спортсменка — большой теннис;
- они — русская природа;
- старый бизнесмен — дорогие машины.

Задание 8.

а) Посмотрите значение следующих слов и словосочетаний в словаре:

следующий (день)
итак
чудо (случилось чудо)
вдруг
подойти I *к кому?* (прош. вр: **подошёл**, **подошла**, **подошли**)
грустить II **-ст/-щ** (императив: Не грус**ти**! Не грусти**те**!)
обязательно
настоящий (настоящий друг, настоящие стихи)
наконец

б) Послушайте объяснение преподавателя и постарайтесь понять значения следующих слов:

хвалить II — **похвалить** II *кого? за что?*
улыбаться I — **улыбнуться** I *кому?*

в) Прочитайте новые слова и постарайтесь понять их значение самостоятельно:

скучно ≈ неинтересно
лучший (друг) = самый хороший (друг)
по-моему ≈ я так думаю
ошибаться I — **ошибиться** II = делать I — сделать I ошибку (прош. вр.: **ошибся**, **ошиблась**, **ошиблись**)
как жаль ≈ к сожалению
молчать I ≠ говорить

Задание 9.

а) Укажите слова, выпадающие из тематического ряда:

четвёртый, седьмой, следующий, лучший;
хвалить, улыбаться, говорить, разговаривать;
песня, стихи, рассказ, самолёт;
по-моему, по-твоему, по-вашему, по-нашему, по-русски.

б) Прочитайте глаголы несовершенного вида и назовите соответствующие глаголы совершенного вида. Приведите примеры с этими глаголами.

Хвалить, улыбаться, ошибаться, посылать, нравиться, показывать, начинать, кончать, рассказывать, случаться.

в) Составьте возможные словосочетания:

похвалить	студента ошибку правительство	настоящий	чудо песня друг
рассказывать	интересно слева скучно	следующий	стихи день остановка

г) Обратите внимание на конструкцию со словом **который**.

- Это студент, **который** учится в нашей группе. (= Это студент. **Он** учится в нашей группе).
- Это девушка, **которая** изучает английский язык. (= Это девушка. **Она** изучает английский язык).
- Это стихи, **которые** понравились Андрею. (= Это стихи. **Они** понравились Андрею).

Задание 10.

а) Прочитайте текст и выберите для него одно из предложенных названий.

- Женька и Инна
- Первые настоящие стихи
- Школьная жизнь

б) Будьте готовы ответить на следующие вопросы.

1. О ком Андрей написал свои первые хорошие стихи?
2. Что он мечтал сказать своей *однокласснице?*

3. Кто послал стихи Андрея в газету?
4. Почему Андрей решил написать стихи о дружбе?

....

Вчера́ Андре́й пе́рвый раз написа́л стихи́, кото́рые ему́ понра́вились и на **сле́дующий** де́нь. Обы́чно, когда́ он писа́л стихи́ и чита́л их на друго́й де́нь, он ду́мал, что опя́ть написа́л **ску́чно** и пло́хо. Андре́й не хоте́л ста́ть изве́стным поэ́том, он то́лько хоте́л подари́ть стихи́ свое́й *однокла́ссница* Инне, кото́рая нра́вилась ему́. Он мечта́л сказа́ть ей: «Инна, э́ти стихи́ я написа́л о тебе́».

Ита́к, Андре́й написа́л стихи́, у́тром прочита́л их ещё раз и по́нял, что стихи́ хоро́шие и помога́ют ему́ жи́ть. А жи́знь Андре́я была́ тру́дной, потому́ что он не нра́вился Инне.

Как жа́ль, что Инны не бы́ло ря́дом, когда́ учи́тельница литерату́ры сказа́ла, что рабо́та Андре́я са́мая интере́сная! Её не бы́ло в кла́ссе, когда́ учи́тель матема́тики **хвали́л** Андре́я и говори́л, что он прекра́сно реши́л все тру́дные зада́чи. Как жа́ль, что Инна не ви́дела, как хорошо́ он игра́л в футбо́л в шко́льной *кома́нде*. Как жа́ль... Инна никогда́ не смотре́ла на Андре́я. Для неё он был тако́й же, как все други́е ма́льчики в кла́ссе, а лу́чше сказа́ть, как стол и́ли шкаф. Инне нра́вился ма́льчик из друго́го кла́сса — Гри́ша Мигуно́в.

И вот вче́ра Андре́й написа́л стихи́ о пе́рвой любви́. Он ду́мал, что, когда́ Инна прочита́ет э́ти стихи́, она́ всё поймёт. Но снача́ла Андре́й реши́л показа́ть стихи́ своему́ **лу́чшему** дру́гу Же́ньке.

— Понима́ешь, Же́нька, — на́чал Андре́й, я тут написа́л стихи́... Коне́чно, в 16 лет ка́ждый челове́к пи́шет стихи́, но, **по-мо́ему**, они́ хоро́шие, **настоя́щие**... Мо́жет быть, я **ошиба́юсь**, а мо́жет быть...

— Чита́й свои́ стихи́, — сказа́л Же́нька.

Андре́й на́чал чита́ть:

Вот ста́рая пе́сня,
Ей ты́сяча лет:
Он лю́бит её,
А она́ его́ — нет...

Он чита́л до́лго. В стиха́х он расска́зывал люби́мой де́вушке о свое́й любви́. Когда́ Андре́й ко́нчил чита́ть, Же́нька сказа́л:

— Отли́чно! Мне о́чень понра́вились твои́ стихи́. Ты молоде́ц!

— А зна́ешь, о чём я мечта́ю? — спроси́л Андре́й. — Я мечта́ю прочита́ть э́ти стихи́ Инне и сказа́ть ей: «Это стихи́ о тебе́». Но я зна́ю, что никогда́ не смогу́ э́то сде́лать.

Же́нька **улыбну́лся** и сказа́л:

— *Ла́дно*, об э́том мы поговори́м пото́м. А сейча́с дай мне свои́ стихи́, я хочу́ ещё раз прочита́ть их до́ма.

Андре́й дал Же́ньке тетра́дь, в кото́рой бы́ли его́ стихи́.

Но́чью Андре́й до́лго не спа́л. Он ду́мал об Инне — са́мой лу́чшей де́вочке в ми́ре. Жа́ль, что Инна никогда́ не узна́ет, что он написа́л стихи́ для неё.

Но че́рез не́сколько дне́й **случи́лось чу́до**: у́тром пришёл Же́нька и показа́л Андре́ю *све́жую* газе́ту. В газе́те Андре́й прочита́л свои́ стихи́!

Друзья́ пошли́ в кио́ск и купи́ли мно́го газе́т, и в ка́ждой газе́те бы́ли стихи́ Андре́я, а ря́дом — его́ и́мя!

Вдру́г Андре́й уви́дел Инну. Она́ стоя́ла и чита́ла газе́ту.

— Коне́чно, она́ чита́ет мои́ стихи́! — поду́мал Андре́й. Он **подошёл к** Инне и ти́хо сказа́л:

— Это стихи́ о тебе́...

— А? Что? — не поняла́ Инна. — Каки́е стихи́, Андре́й? О чём ты говори́шь?

— А что ты чита́ла сейча́с в газе́те?— спроси́л Андре́й.

— Телепрогра́мму. Хоте́ла узна́ть, каки́е сего́дня бу́дут переда́чи. А что?

Андре́й не знал, что сказа́ть.

В э́то вре́мя подошёл Же́нька и показа́л Инне стихи́ Андре́я в газе́те.

— Ой, Андре́й, а я не зна́ла, что ты пи́шешь стихи́, — сказа́ла Инна. — Поздравля́ю! Я ду́маю, ты ста́нешь изве́стным поэ́том! А сейча́с извини́, мне ну́жно идти́.

И она́ пошла́ в па́рк, где её жда́л Гри́ша Мигуно́в.

Андре́й до́лго **молча́л**. **Наконе́ц**, он спроси́л Же́ньку:

— Это ты посла́л мои́ стихи́ в газе́ту?

— Я, — отве́тил Же́нька. — **Не грусти́**, Андре́й, ты напи́шешь други́е стихи́ о любви́ и они́ **обяза́тельно** понра́вятся Инне.

Андре́й посмотре́л на него́, улыбну́лся и сказа́л:

— Нет, Же́нька, я хочу́ написа́ть стихи́ о дру́жбе.

Задание 11.

а) Выберите лучшее из предложенных названий (задание 10). Ответьте на вопросы, данные перед текстом.

б) Прочитайте план текста. Расставьте пункты плана в соответствии с содержанием текста.

○ 1. Газета со стихами Андрея.

○ 2. Стихи Андрея у Женьки.

○ 3. «Это стихи о тебе, Инна».

○ 4. Трудная жизнь Андрея.

○ 5. Первые настоящие стихи Андрея.

○ 6. Настоящий друг.

Задание 12.

Закройте учебник. Слушайте два микротекста и повторите фразу, которой они отличаются.

а) Когда Андрей кончил читать стихи, его друг сказал:

— Отлично! Мне очень понравились твои стихи. Дай мне эти стихи, я хочу прочитать их ещё раз дома.

б) Когда Андрей кончил читать стихи, его друг сказал:

— Отлично! Дай мне твои стихи. Я хочу прочитать их ещё раз дома.

Задание 13.

Перескажите текст задания 10, используя новые слова и словосочетания.

Задание 14.

Посмотрите на таблицу 2. Переведите новые слова и постарайтесь понять структуру безличных предложений и предложений, содержащих модальные слова.

Материал для наблюдения

Таблица 2

Кому?	было	нужн**о**, над**о**, можн**о**, нельзя (+…-ть),
Где?	будет	скучн**о**, интересн**о**, трудн**о**, легк**о**, всё равн**о**,
Когда?	стало	холодн**о**, жарк**о**, стыдн**о**, смешн**о**, весел**о**,
	станет	грустн**о**, приятн**о**, больн**о**, жал**ь**, (не)понятн**о**
Где?	было	шумн**о**, тих**о**
Когда?	будет	

Мне нужн**о** купить словарь.
Маленьк**ому** мальчик**у** был**о** холодн**о**, скучн**о** и грустн**о** в большой комнате.
Эт**ой** девочк**е** всё интересн**о**.
Вчера в зале был**о** шумн**о**, **мне** был**о** трудн**о** слушать концерт.

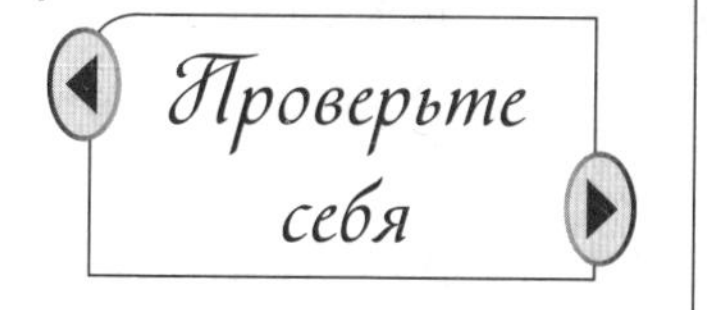

- Предложения с модальными словами **можно**, **нужно**, **нельзя**, **надо**, а также безличные предложения содержат III ф (Д. п.), VI ф (П. п.) или выражение времени (**вчера**, **через год**; **когда я окончу институт** и т.п.).
- Прошедшее и будущее время всегда выражается неизменяемой формой глагола **было** (**будет**), в безличных предложениях возможно также **стало** (**станет**).
- Безличные предложения содержат неизменяемую форму, совпадающую с кратким прилагательным на **-о** (кроме слова **жаль**).
- В предложениях с модальными словами обязателен инфинитив, в безличных предложениях инфинитив факультативен, кроме случаев, когда инфинитив невозможен (**мне непонятно** и др.).

Задание 15.

а) Прочитайте текст. Найдите безличные предложения и предложения с модальными словами. Обратите внимание на случаи использования инфинитива в этих структурах.

Новые слова: кло́ун, гимна́ст, лета́ть, медве́дь, шар, бе́гать.

Неда́вно мы с ма́мой ходи́ли в ци́рк. В ци́рке о́чень ве́село, о́чень! Мне понра́вились и **кло́уны**, и **гимна́сты**, и **медве́ди**. Ме́дведи ходи́ли и танцева́ли, как лю́ди, и смотре́ть на э́то мне бы́ло ве́село и интере́сно. А ги́мнасты **лета́ли** высоко́-высоко́, и я ду́мал, что лета́ть им совсе́м нетру́дно. Но бо́льше всего́ мне понра́вилась ма́ленькая

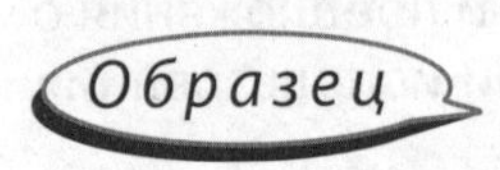

Девочка на шаре.
Пабло Пикассо.

де́вочка на голубо́м **ша́ре**. Де́вочка бы́стро **бе́гала** на э́том ша́ре, и я ви́дел, что ей легко́ и прия́тно так бе́гать.

Пото́м мы с ма́мой ещё раз ходи́ли в ци́рк, потому́ что я ещё раз хоте́л уви́деть э́ту де́вочку на **ша́ре**, но она́ бо́льше не выступа́ла. Мне ста́ло гру́стно. Выступа́ли **кло́уны**, **гимна́сты** и **медве́ди**, но мне бы́ло всё равно́. В ци́рке мне ста́ло ску́чно. И тут ма́ма сказа́ла, что мо́жно узна́ть, когда́ выступа́ет де́вочка на **ша́ре**, ну́жно то́лько купи́ть програ́мму. Я был рад, что ма́ма хоро́шо понима́ет меня́.

(По сюжету В. Драгунского)

б) Дайте название тексту.

Задание 16.

Посоветуйте, что **надо** (**нельзя**) делать, если:

Образец Новая студентка плохо знает математику.
Новой студентке **нужно много заниматься** математикой.

- Ваш друг очень устал.
- Твой сосед идёт в гости на день рождения.
- Мой лучший друг много курит.
- Наша арабская студентка не любит спорт.
- Я очень хочу есть.
- Известная артистка не знает русские народные песни.
- Завтра у нас контрольная работа по грамматике.
- Этот студент болен.

Задание 17.

Закончите предложения.

Студенту **нужно** заниматься много, а **...** маленькому мальчику **можно** отдыхать.

- Новому президенту надо много работать, а **...** .
- Этому студенту нужно платить деньги за учёбу, а **...** .
- Серьёзному спортсмену нельзя много отдыхать, а **...** .
- Старому человеку можно работать мало, а **...** .
- В кафе нельзя курить, а **...** .
- В воскресенье можно будет отдыхать, а **...** .
- На уроке нельзя танцевать, а **...** .
- В больнице нужно было разговаривать тихо, а **...** .

Задание 18.

Замените в предложениях слово **должен** словами **нужно**, **надо**.

Старшая сестра **должна** помогать младшей сестре.
Старшей сестре **надо** помогать младшей сестре.

- Этот маленький красивый город должен стать центром туризма.
- Американская переводчица должна посмотреть древние памятники русской архитектуры.
- Новый автомобильный завод должен стать промышленным центром города.
- Современное государство должно помогать человеку.
- Каждый человек должен отдыхать.
- Школьная подруга должна мне позвонить.
- Иностранный турист должен познакомиться с нашим городом.
- Ваша дочь должна учиться в России.

Обратите внимание

Мне	нужн**о** (над**о**)	купить	учебник. книгу. яблоко. журналы.

Мне ~~(надо)~~	нуж**ен** нуж**на** нуж**но** нуж**ны**	учебник. книга. яблоко. журналы.

Задание 19.

Измените предложения.

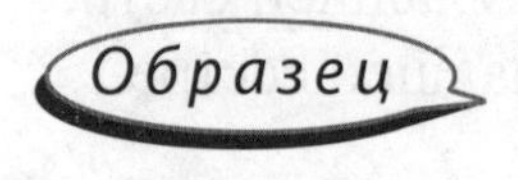

Мой друг **должен** купить свежую газету.
Моему другу **нужна** свежая газета.

- Каждая газета должна иметь талантливого художника.
- Новый студент должен получить эти учебники.
- Китайская студентка должна взять наш магнитофон.
- Каждый *ребёнок* должен пить молоко и есть фрукты.
- Наша страна должна строить хорошие дороги.
- Этот город должен открыть свой университет.
- Новый *район* должен иметь новую школу.
- Центральная площадь города должна иметь красивый памятник.

Задание 20.

Используя безличные предложения (см. таблицу 2), скажите, что чувствует человек, если он говорит:

— «Какой прекрасный вечер, я не хочу идти домой!» — сказала моя сестра. — Моей сестре **весело (интересно**, **приятно)** на вечере.

— «Боже мой, на улице температура +40° (градусов)», — сказал наш сосед.

— «Какие смешные клоуны!» — сказал маленький мальчик.

— «К сожалению, я не смогла помочь», — сказала молодая медсестра.

— «Я никогда не смогу говорить по-русски», — сказал новый студент.

— «Закройте окно! На улице зима!» — сказал наш преподаватель.

— «Я не понимаю, когда нужно говорить “вы” и когда — “ты”», — сказал испанский студент.

— «Вчера я сказал неправду своему отцу, и сегодня не могу смотреть ему в глаза», — сказал мой старший брат.

— «Мне неважно, что подарят друзья на день рождения», — сказала молодая девушка.

Задание 21.

Закончите предложения, используя безличные конструкции. Выберите все возможные варианты из таблицы 2.

Новая студентка изучала русский язык на родине, поэтому **...** новой студентке **легко** (изучать русский язык в России).

- Фильм был длинный и неинтересный, поэтому **...** .
- Старый друг сказал мне неприятные слова, поэтому **...** .

- Младшая сестра потеряла золотое кольцо, поэтому **...** .
- В классе громко разговаривают, поэтому **...** .
- В классе пишут контрольную работу, поэтому **...** .
- Маленький мальчик любит море, поэтому на море **...** .
- Африканский студент давно не получал письма из дома, поэтому **...** .
- Новый студент не был в университете один месяц, поэтому **...** .

Задание 22.

а) Посмотрите значение следующих слов в словаре:

продавщица (продавец)
выбирать I — **выбрать** I *кого? что?*
загадка
пакет
открывать I — **открыть** I *что?*
шуба
шутка
перчатки
плакат
кулинарный
сердиться II — **рассердиться** II *на кого? на что?*
я **сержусь**
ты **сердишься**
они **сердятся**
Не сердись! Не сердитесь!
мне (тебе, ей, ему, нам, вам) **повезло**
варить II — **сварить** II *что?*
сосиска, -и

б) Прочитайте интернациональные слова, постарайтесь понять их значение. В случае затруднения посмотрите эти слова в словаре:

лаборатория, идея, характер, диск.

в) Постарайтесь понять значение выделенных слов самостоятельно:

готовить II — **приготовить** II *что?*
— Кто **готовит** обед в вашей семье?
— Конечно, мама. Она любит готовить.

путать I — **перепутать** I *кого? кого с кем? что? что* и *что? что с чем?*
Я взял тетрадь Ахмеда, а Ахмед взял мою тетрадь.
Мы перепутали тетради.

миллионер = богатый человек. У него есть миллион рублей (долларов).
сделать выбор = выбрать I
давать советы = советовать I
приятель ≈ друг

Задание 23.

Укажите слова, выпадающие из тематического ряда:

пальто, шуба, шутка, плащ, куртка, перчатки;
загадка, лаборатория, аудитория, кабинет;
переводчик, миллионер, продавщица, экскурсовод;
говорить, варить, разговаривать, спрашивать, отвечать.

Задание 24.

Составьте возможные словосочетания:

варить	загадку суп перчатки	кулинарные	книги советы посольства
развивать	идею характер диск	путать	слова пакеты дождь

Задание 25.

Укажите слова, имеющие одинаковый корень с выделенным:

готовить: приготовить, товарищ, готов, подготовительный;
сердиться: серый, сердитый, рассердиться, среда;
выбирать: выбрать, вы, брать, брат, выбор.

Задание 26.

Прочитайте глаголы несовершенного вида, назовите соответствующие им глаголы совершенного вида. Составьте предложения с этими глаголами.

Путать, сердиться, готовить, открывать, выбирать, защищать, хвалить, посылать.

Задание 27.

Прочитайте рассказ. Постарайтесь понять его основное содержание. Объясните, почему он называется так. Как вы думаете, хорошо ли герои рассказа — Борис и Максим — знают своих жён?

Подарок

За́втра пра́здник, поэ́тому мы с Бори́сом идём покупа́ть пода́рки. Бори́с — мо́й ста́рый дру́г. Ра́ньше мы вме́сте учи́лись в институ́те, а сейча́с вме́сте рабо́таем в одно́й нау́чной **лаборато́рии**. Бори́с всегда́ всё зна́ет и ча́сто **даёт** мне **сове́ты**. Я всегда́ внима́тельно слу́шаю его́, да́же е́сли мне не ну́жен его́ сове́т: ему́ э́то прия́тно, а мне *поле́зно*. Я до́лго ду́мал, что мо́жно подари́ть жене́. Снача́ла Бори́с посове́товал мне купи́ть цветы́.

— Все же́нщины лю́бят цветы́, — сказа́л он.

— Это я сам зна́ю. Я ка́ждый пра́здник дарю́ жене́ цветы́, — отве́тил я. — А что ещё?

— Мой друг сде́лал серьёзное лицо́ и сказа́л:

— Понима́ешь, Макси́м, **вы́брать** хоро́ший пода́рок же́нщине о́чень тру́дно, потому́ что же́нщина — э́то **зага́дка**! Мо́жно, наприме́р, подари́ть су́мку и **перча́тки**. Я ду́маю, ка́ждой же́нщине понра́вятся э́ти ве́щи.

— Да, но тогда́ она́ ска́жет, что ей ну́жно купи́ть но́вое пальто́.

— Подари́ ей зо́нт.

— О чём ты говори́шь? Како́й зонт? Сейча́с зима́!

— Да, ты прав. Зимо́й зонт не ну́жен. Зимо́й хо́лодно, и нужна́ **шу́ба**. Подари́ ей шу́бу.

— Это шу́тка? Ты зна́ешь, ско́лько она́ сто́ит? Я инжене́р, а не миллионе́р!

— Ну, е́сли тебе́ не нра́вятся мои́ сове́ты, ду́май сам! — сказа́л Бори́с. Вдруг мы уви́дели большо́й **плака́т**: «Кни́га — лу́чший пода́рок».

— **Нам повезло́**! — сказа́л Бори́с. — У меня́ е́сть **иде́я**. Твоя́ жена́ лю́бит чита́ть?

— Коне́чно.

— Моя́ то́же. На́до подари́ть им кни́ги!

— И мы пошли́ в кни́жный магази́н. В кни́жном магази́не бы́ло мно́го люде́й, там бы́ло о́чень жа́рко. Я смотре́л на кни́жные *по́лки*, где стоя́ли ты́сячи книг. Мне ста́ло гру́стно: я по́нял, что никогда́ не смогу́ вы́брать ну́жную кни́гу. И опя́ть мне помо́г мо́й лу́чший друг. Он сказа́л:

— Слу́шай, **прия́тель**, что́бы **сде́лать** пра́вильный **вы́бор**, ну́жно хоро́шо зна́ть **хара́ктер** челове́ка, его́ интере́сы. Так? Вот ты, наприме́р, хорошо́ зна́ешь свою́ жену́?

— Ду́маю, да. Мы *жена́ты* уже́ пя́ть лет, — сказа́л я.

— А что она́ лю́бит де́лать? Что ей нра́вится? — спроси́л Бори́с. Мне ста́ло сты́дно. Я не знал, что отве́тить. Наконе́ц, я сказа́л:

— Моя́ жена́ занима́ется научно́й рабо́той и изуча́ет иностра́нные языки́.

— Прекра́сно! Ты мо́жешь подари́ть ей уче́бник англи́йского языка́ с компа́кт-ди́ском. Я ду́маю, ей бу́дет интере́сно слу́шать *диало́ги* и англи́йские пе́сни.

— Хоро́шая иде́я! А что ку́пишь ты?

— О, я хоро́шо зна́ю свою́ жену́, — сказа́л мо́й друг. По-мо́ему, она́ не бу́дет изуча́ть иностра́нные языки́. У неё нет вре́мени: дом, рабо́та, де́ти. Она́ лю́бит **гото́вить**, поэ́тому я хочу́ подари́ть ей **кулина́рную** кни́гу.

— Тебе́ повезло́! — сказа́л я. А моя́ жена́ не лю́бит гото́вить, поэ́тому я обе́даю в столо́вой, а ве́чером сам гото́влю у́жин.

Мы купи́ли пода́рки. **Продавщи́ца** дала́ оди́н **паке́т** мне, друго́й — Бори́су. До́ма меня́ ждала́ жена́. Я сказа́л ей:

— Дорога́я, поздравля́ю тебя́ с пра́здником! Вот мо́й пода́рок.

Жена́ взяла́ паке́т, **откры́ла** его́, и я уви́дел, что там... кулина́рная кни́га! Я всё по́нял. Продавщи́ца в магази́не, коне́чно, **перепу́тала** на́ши пода́рки. Что де́лать? Я ду́мал, что жена́ **рассе́рдится**. Но она́ сказа́ла:

— Како́е чу́до! Прекра́сная кни́га! Я давно́ хоте́ла её купи́ть. Мне так прия́тно, дорого́й, что ты тако́й внима́тельный!

И она́ начала́ гото́вить у́жин. А я ве́сь ве́чер смотре́л телеви́зор и чита́л газе́ты, как все норма́льные мужчи́ны. Пото́м мне позвони́л Бори́с и рассказа́л, как он поздра́вил свою́ жену́.

— Слу́шай, друг, твоя́ жена́ не о́чень рассерди́лась? — спроси́л я.

— Нет, что ты! Она́ о́чень ра́да. Пода́рок ей понра́вился. Она́ сказа́ла, что давно́ мечта́ла изуча́ть англи́йский язы́к. То́лько я не рад.

— Почему́?

— Потому́ что моя́ жена́ сейча́с чита́ет учёбник и слу́шает диало́ги, а мне ну́жно гото́вить у́жин. Посмотри́, пожа́луйста, в твое́й кни́ге, как **вари́ть соси́ски**.

Мне ста́ло смешно́, но я сказа́л серьёзным го́лосом:

— Тепе́рь ты понима́ешь, прия́тель, как тру́дно вы́брать пода́рок же́нщине!

Задание 28.

Согласитесь с высказыванием или возразите.

1. Борис и Максим работают в одной лаборатории.
2. В магазине они покупали подарки сыну и дочери.
3. Жена Максима изучает иностранные языки.
4. Максим подарил жене учебник английского языка и компакт-диск.
5. Борис хотел подарить жене кулинарную книгу.
6. Жена Бориса очень рассердилась.

Задание 29.

Закончите предложения в соответствии с содержанием текста.

1. Максим и Борис идут в магазин:
   а) покупать учебники и тетради;
   б) покупать подарки;
   в) покупать костюм и рубашку.

2. Максим хотел подарить жене учебник английского языка, потому что она:
   а) не любит готовить;
   б) хорошо говорит по-английски;
   в) изучает иностранные языки.

3. Борис решил подарить жене кулинарную книгу, потому что она:
   а) любит готовить;
   б) любит читать;
   в) плохо готовит.

4. Когда Максим подарил жене кулинарную книгу, она:
   а) рассердилась;
   б) была очень рада;
   в) ничего не сказала ему.

Задание 30.

Ответьте на вопросы.

1. Кто такие Максим и Борис?
2. Почему они идут в магазин?
3. Почему Борис любит давать советы?
4. Что Борис посоветовал другу?
5. Почему Максиму не понравились его советы?
6. Почему друзья пошли в книжный магазин?
7. Какие книги они хотели там купить и почему?
8. Что Максим подарил жене?
9. Как вы думаете, жене Максима понравился подарок?
10. Почему жена Бориса была рада?
11. Как вы думаете, Максим и Борис были рады? Почему?

Задание 31.

а) Прочитайте отрывок из текста. Выберите главное предложение в отрывке.

Мой друг сделал серьёзное лицо и сказал:

— Понимаешь, Максим, выбрать хороший подарок женщине очень трудно, потому что женщина — это загадка! Можно, например, подарить сумку и перчатки. Я думаю, каждой женщине понравятся эти вещи.

б) Прочитайте отрывок из текста. Сократите его. Передайте содержание диалога несколькими фразами:

Дома меня ждала жена. Я сказал ей:

— Дорогая, поздравляю тебя с праздником! Вот мой подарок.

Жена взяла пакет, открыла его, и я увидел, что там... кулинарная книга! Я всё понял. Продавщица в магазине перепутала наши подарки. Что делать? Я думал, что жена рассердится. Но она сказала:

— Какое чудо! Прекрасная книга! Я давно хотела её купить. Мне так приятно, дорогой, что ты такой внимательный!

Задание 32.

а) Расскажите, как Максим и Борис покупали подарки. В рассказе используйте слова и словосочетания:

давать советы, можно подарить, лучший подарок, книжный магазин, выбирать книги, сделать правильный выбор, знать характер человека, заниматься научной работой, изучать иностранные языки, учебник английского языка, компакт-диски, любить готовить, кулинарная книга, перепутать подарки.

б) Расскажите что произошло дома у Бориса? Как он поздравил жену? Что она сказала ему? Попробуйте разыграть эту сценку.

Задание 33.

а) Ваш друг хочет выбрать подарок. Посоветуйте ему, что можно подарить маме, отцу, сестре, подруге.

б) Все любят получать подарки. Но есть люди, которые больше любят дарить подарки. Что вы можете сказать о себе? Вы часто дарите подарки? Кому вы дарите их?

Задание 34.

Посмотрите материал для наблюдения и постарайтесь понять конструкцию, выражающую возраст.

Материал для наблюдения

Сколько лет **твоему старшему брату** и **твоей младшей сестре**?

Мо**ему** старш**ему** бр**ату**	21	год
	22 23 24	года
	25 …	лет
	1	месяц
Мо**ей** младш**ей** сестр**е**	2 3 4	месяца
	5 …	месяцев

Моему стар**ому** дру**гу** (Моей новой подруге)	**был** **(исполнился)** **будет** **(исполнится)**	21 год 31 год
	было **(исполнилось)** **будет** **(исполнится)**	22 года 18 лет 24 года 25 лет

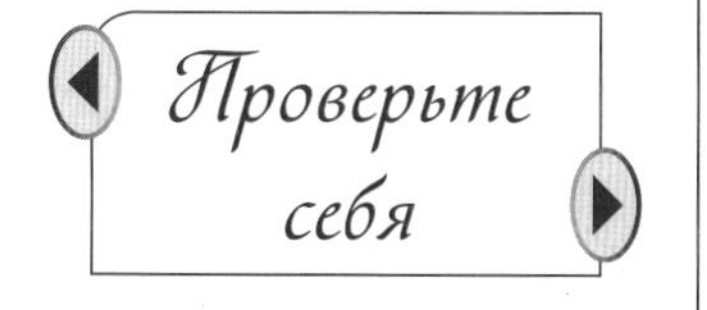

Кому?	**(был)** **(исполнился)**	1 год 1 месяц
	(было) **(исполни-лось)** **(будет)** **(исполнится)**	2 года 5 месяцев 7 лет 2 месяца … …….

Задание 35.

Прочитайте шутки. Найдите конструкции, выражающие возраст. Перескажите шутки.

Новые слова и словосочетания: кури́ть, по́здно приходи́ть домо́й.

Мужчи́на и же́нщина разгова́ривают в авто́бусе.
— Скажи́те, пожа́луйста, у вас е́сть де́ти? — спра́шивает мужчи́на.
— Да, у меня́ е́сть оди́н сын, — отвеча́ет же́нщина.
— Он **ку́рит**?
— Нет, он не ку́рит.

— Он **прихóдит домóй пóздно**?

— Нет.

— О, ваш сын хорóший молодóй человéк. Скóлько емý лет?

— Емý 4 мéсяца.

***

— Скóлько тебé лет, мáльчик?

— Я не знáю, потомý что когдá я гуляю с пáпой, мне 9 лет, а когда я гуляю с мáмой, мне тóлько 7 лет.

Задание 36.

Закончите предложения.

- Мне 18 ... .
- Моему старшему брату 34 ... .
- Маленькой девочке 1 ... .
- Новой вьетнамской студентке 22 ... .
- Нашему декану 30 ... .
- Моей сестре 19 ... .
- Моему русскому другу 22 ... .
- Нашей соседке 20 ... .

Задание 37.

Ответьте на вопросы.

1. Сколько вам лет? Сколько лет исполнилось вашему отцу? А матери? Сколько лет вам будет, когда вы окончите университет? Сколько лет было вашей матери и вашему отцу, когда они поженились? Сколько лет было вашей сестре, когда она пошла в школу? Сколько лет ей исполнится, когда она окончит школу (университет)?

2. Сколько лет Москве? А сколько лет Санкт-Петербургу? Сколько лет вашему родному городу? Сколько лет нашему университету?

3. Сейчас Антону 33 года. Когда ему исполнится 35 лет?

4. Сейчас нашему преподавателю 42 года. Когда ему исполнился 41 год? Сейчас Марине 25 лет. Когда ей исполнится 30 лет?
5. Сейчас вашему отцу 44 года. Когда ему будет 50 лет?
6. Сейчас вашей матери 33 года. Когда ей был 31 год?

Задание 38.

а) Закройте учебник. Прослушайте рассказ и ответьте на вопрос, почему девушка рассердилась.

Новые слова и предложение: ро́за, беспла́тно, «Здесь сто́лько роз, ско́лько тебе́ лет».

Оди́н моло́дой челове́к полюби́л краси́вую де́вушку. Он ча́сто дари́л ей цветы́. Этой де́вушке то́же нра́вился молодо́й челове́к, и ей бы́ло прия́тно получа́ть цветы́ в пода́рок.

Одна́жды моло́дой челове́к узна́л, что у де́вушки бу́дет де́нь рожде́ния. Ей испо́лнится 20 лет. Молодо́й челове́к реши́л подари́ть люби́мой де́вушке 20 **роз**. Продаве́ц магази́на хорошо́ знал молодо́го челове́ка, потому́ что молодо́й челове́к всегда́ покупа́л там цветы́. «Я дам ему́ ещё 10 роз **беспла́тно**», — поду́мал прода́вец, дал молодо́му челове́ку 30 роз и ничего́ не сказа́л об э́том. Когда́ молодо́й челове́к пришёл в дом де́вушки, он сказа́л: «Поздравля́ю тебя́ с днём рожде́ния! Вот мо́й пода́рок. **Зде́сь сто́лько роз, ско́лько тебе́ лет**!»

Когда́ де́вушка взяла́ цветы́ и посмотре́ла на них, она́ о́чень рассерди́лась.

б) Ответьте на предтекстовый вопрос. Как вы думаете, какие чувства испытывала девушка? (Ей было ...).

в) Перескажите текст от имени девушки.

ЭТО ВЫ УЖЕ ЗНАЕТЕ

1) *Кому?* III ф (Д. п.)	**нравится/-ятся** (-ился, -лась, -лось, лись) **понравится/-ятся** (-ился, -лась, -лось, лись)	+ I ф (И. п.)
2) *Кому?* III ф (Д. п.)	**можно**, **нельзя**, **надо**, **нужно** (было, будет) (было, будет, стало, станет) **весело**, **грустно**, **стыдно**, **жаль** ...	+ инфи- нитив
3) *Кому?* III ф (Д. п.)	**было**, **будет**; **исполнилось**, **исполнится**	сколько лет?

1 Скажите, что нужно молодому человеку, если он хочет хорошо отдохнуть летом на тёплом море.

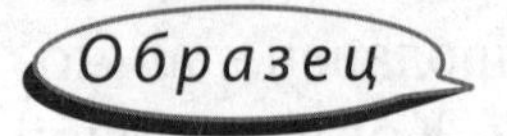

Молодому человеку **нужны** тёмные очки.

Слова для справок: кулинарная книга, светлый костюм, шуба, кукла, мяч, *электробритва*, электрический чайник, игрушки, *плавки*, часы, спортивная обувь, зонт, фотоаппарат, учебник, летняя одежда, зимняя шапка.

2 Используя слова, **можно**, **нужно**, **надо**, **нельзя** скажите, что нужно сделать людям.

- Наш сосед болен;
- ваш дедушка много курит;

- этот студент не сдал экзамен;
- младшая дочь давно не звонила отцу;
- китайская студентка потеряла перчатки.

Закройте учебники. Прослушайте шутку и перескажите её.

Настоящий мужчина — это мужчина, который помнит день рождения любимой женщины и никогда не знает, сколько ей лет.

Речевые образцы	Талантлив**ые** студент**ы** станут хорош**ими** специалист**ами** и будут работать в разн**ых** город**ах** и стран**ах** мира. Река Волга длинн**ее**, **чем** рек**а** Москва**.** (Река Волга длинн**ее** рек**и** Москв**ы**) **Чем** интересн**ее** урок, **тем** быстр**ее** он кончается.
Грамматический материал	Существительные, прилагательные, указательные и притяжательные местоимения, порядковые числительные в падежных формах множественного числа; сравнительная степень прилагательных и наречий; предложения со сравнительной конструкцией ***чем … тем …*** .
Тексты	*«Артист»* *«У бабушки было четыре дочери…»*

Задание 1.

Прочитайте предложения и скажите, как изменяются существительные, прилагательные, притяжательные и указательные местоимения, порядковые числительные во множественном числе.

Материал для наблюдения

- Нов**ые** завод**ы** и фабрик**и** выпускают современную технику.
- В городе построили несколько нов**ых** завод**ов**, общежит**ий** и фабр**ик**.
- Эт**им** древн**им** русск**им** город**ам** уже 1000 лет.
- В городе построили перв**ые** завод**ы**, общежит**ия** и фабрики.
- Декан поздравляет сво**их** нов**ых** студент**ов**, студент**ок** и преподавател**ей** с началом учебного года.
- Талантливые студенты станут хорош**ими** инженер**ами**, врач**ами** и преподавател**ями**.
- Новые специалисты будут работать в разн**ых** город**ах** и деревн**ях** России.

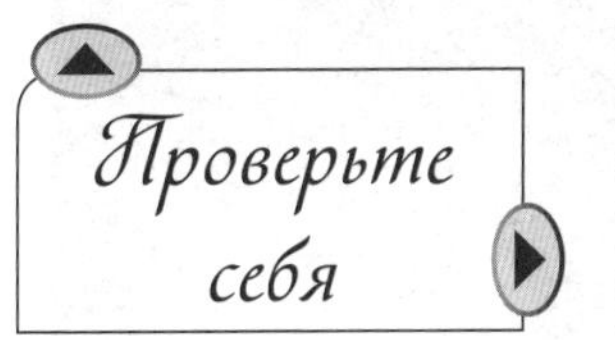

		Прилагательные*	Существительные
I	И. п.	**-ые/-ие/-и**	**-ы/-и, -а/-я**
II	Р. п.	**-ых/-их**	**-ов, -ев, -ей, -й, -∅******
III	Д. п.	**-ым/-им**	**-ам/-ям**
IV	В. п.	*Кого?* = II Р. п., *что? куда?* = I И. п.	
V	Т. п.	**-ыми/-ими**	**-ами/-ями**
VI	П. п.	**-ых/-их**	**-ах/-ях**

* Прилагательные, порядковые числительные, указательные и притяжательные местоимения.

** См. «Наше время» (элементарный уровень).

Задание 2.

а) Прочитайте текст. Найдите существительные, прилагательные, порядковые числительные, указательные и притяжательные местоимения мн. ч. и объясните, от чего зависят их формы. Дайте название тексту.

Новые слова: пре́мия, зри́тель.

....

Большо́й теа́тр — оди́н из са́мых изве́стных теа́тров о́перы и бале́та в ми́ре. Скоро́ ему́ испо́лнится 250 лет. В пе́рвой *тру́ппе* Большо́го теа́тра бы́ло ме́ньше 50 (пяти́десяти) челове́к, а сейча́с в ней почти́ 1000 арти́стов, кото́рые выступа́ют в лу́чших конце́ртных за́лах ми́ра. **Зри́тели** и *слу́шатели* всегда́ с ра́достью встреча́ют э́тих тала́нтливых *исполни́телей*, да́рят цветы́ свои́м люби́мым арти́стам. Арти́сты Большо́го теа́тра ча́сто получа́ют *прести́жные* **пре́мии**, мно́гие из них ста́ли Наро́дными арти́стами Росси́и.

б) Расскажите, что вы узнали об артистах Большого театра.

Большой театр

Сцена из балета «Лебединое озеро»

Задание 3.

Ответьте на вопрос утвердительно.

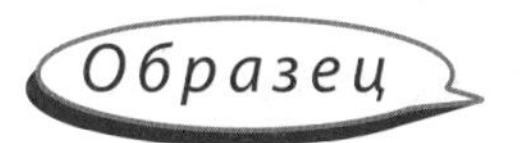

— **Вы знаете** новых вьетнамских студентов?
— **Да, я знаю** этих студентов.

1. Андрей был в древних русских городах?
2. Марта познакомилась с китайскими девушками?
3. Вы читали стихи известных японских поэтов?
4. Вам нравятся картины современных художников?
5. Турист вспоминает о прекрасных дворцах Петербурга?
6. Иностранным студентам нравится русская природа?
7. Анна купила тёплые перчатки?
8. Марина рассердилась на шумных соседей?

Задание 4.

Дополните предложения подходящими по смыслу прилагательными, порядковыми числительными, притяжательными или указательными местоимениями в правильной форме.

У **студентов** нет **шапок**. — **У новых** студентов нет **зимних** шапок.

- Иностранные туристы видели **улицы** и **площади** Москвы.
- Родители часто звонят **сыновьям** и **дочерям**.
- Преподаватель хвалит **студентов**.
- Декан разговаривает с **выпускниками**.
- Девочка рассказывает **о клоунах**.
- **У соседей** сегодня праздник.
- **Детям** не холодно зимой.
- Мы еще не были **в музеях**.

Таблица

I	И. п.	*Какие? Чьи?*	нов**ые**, хорош**ие**, эт**и**, мо**и**
II	Р. п.	*Каких? Чьих?*	нов**ых**, хорош**их**, эт**их**, мо**их**
III	Д. п.	*Каким? Чьим?*	нов**ым**, хорош**им**, эт**им**, мо**им**
IV	В. п.	*Какие? Чьи?* *Каких? Чьих?*	нов**ые**, хорош**ие**, эт**и**, мо**и** нов**ых**, хорош**их**, эт**их**, мо**их**
V	Т. п.	*Какими? Чьими?*	нов**ыми**, хорош**ими**, эт**ими**, мо**ими**
VI	П. п.	*Каких? Чьих?*	нов**ых**, хорош**их**, эт**их**, мо**их**

Задание 5.

Задайте уточняющий вопрос. Вам поможет данная выше таблица. Выслушайте ответ.

Преподаватель познакомился **со студентами**.
— **С какими студентами** преподаватель познакомился?
— **С новыми**.

1. У меня есть **друзья**.
2. Анна сердится на **подруг**.
3. В городе открыли **школы и библиотеки**.
4. Преподаватель рассказал студентам **о профессиях**.
5. **Переводчикам** нужно прекрасно знать иностранный язык.
6. Студенты делают ошибки **в заданиях**.
7. Девушки танцуют **со студентами**.
8. В маленьких городах нет **аэропортов**.
9. Мальчик видел в цирке **слонов**.

Задание 6.

Скажите, как изменятся предложения, если множественное число заменить на единственное.

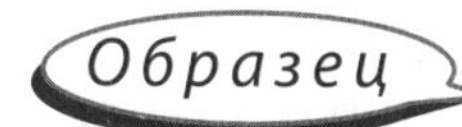

— Здесь построили **новые дворцы** и **станции метро**.
— Нет, здесь построили **новый дворец** и **станцию метро**.

1. Иностранные студенты выучили русские народные песни.
2. Мы нашли новых друзей в Москве.
3. Маленькие мальчики мечтают стать настоящими космонавтами.
4. Старшие братья обещали своим сёстрам подарить красивые игрушки.
5. Иностранные туристы видели красивые здания старых церквей.
6. Эти молодые журналисты приехали из небольших стран.
7. Преподаватели проверяют домашние задания своих студентов.
8. Им нужны электрические чайники.

Задание 7.

Как изменятся предложения, если единственное число заменить на множественное.

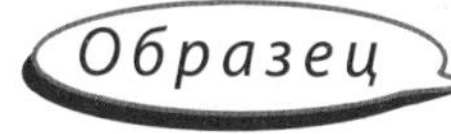

— Здесь построили **новый дворец** и **станцию метро**.
— Нет, здесь построили **новые дворцы** и **станции метро**.

1. Талантливый врач работает в современной больнице.
2. Наш выпускник стал хорошим специалистом.
3. Молодая страна быстро развивается.
4. Каменная крепость защищала город от врага.
5. Этот древний собор построили 500 лет назад.
6. Старший брат купил младшей сестре новую куклу.
7. Молодой человек мечтает о красивой подруге.
8. Маленькая девочка хочет работать медицинской сестрой.

Задание 8.

Скажите, что вы поможете людям решить их проблемы.

Наши новые студенты — тёплые шапки.
Если у наших новых студентов **нет** тёпл**ых** шап**ок**, **мы поможем** нашим новым студентам **купить** тёпл**ые** шапк**и**.

- Ваши родители — новые стулья;
- талантливые учёные — деньги;
- иностранные студенты — русские друзья;
- мои подруги — модные журналы;
- новые соседи — ложки, тарелки, стаканы;
- мои одноклассники — сайты в Интернете;
- твои братья — спортивные костюмы.

Обратите внимание:

начинать(ся) I — **начать(ся)** I *Когда?*

продолжать(ся) I — **продолжить(ся)** II *Сколько времени?*

кончать(ся) I — **кончить(ся)** II *Когда?*

Преподаватель	начинает продолжает кончает	урок. чита**ть**. (инфинитив)
Урок	начинает**ся**. продолжает**ся**. кончает**ся**.	

Задание 9.

Вставьте подходящий по смыслу глагол.

1. Сколько времени **...** концерт?
2. Когда **...** перерыв?
3. Когда преподаватель **...** объяснять грамматику?
4. Концерт **...** 2 часа.
5. Через 2 часа концерт **...** .
6. Перерыв **...** 10 минут.
7. Потом **...** урок.
8. Студенты **...** читать, а преподаватель **...** исправлять их ошибки.
9. Каникулы **...** в январе и **...** в феврале.
10. Студенты **...** заниматься в 15.00.
11. Декан **...** работать в 9.00 и **...** работать в 17.00.
12. Уроки **...** 6 часов.
13. Самый короткий месяц **...** 28 (29) дней.

Задание 10.

а) Посмотрите значение слов и словосочетаний в словаре:

ставить II — **поставить** II *кого? что? куда?*
выступать II — **выступить** II *где?*
умирать I — **умереть** I (прош. вр.: **умер**, **умерла**, **умерли**)
играть I **роль** *кого? где?*
успех
сдавать I — **сдать экзамен**
доволен (довольна, довольны)
поступать I — **поступить** II *куда?*
волноваться I
смеяться I *над кем?*
уметь I — **суметь** I (+...-ть)
каша

б) Прочитайте интернациональные слова, постарайтесь понять их значение. В случае затруднения посмотрите эти слова в словаре:

география, экспедиция, компот, макароны, минерал.

в) Прослушайте объяснение преподавателя и постарайтесь понять слова, словосочетания и предложения:

умирать со смеху, **охать**, (повторять) **одно и то же**, **«У вас впереди вся жизнь»**, **рюкзак**, **загорелый**, **Урал** (горы).

г) Постарайтесь понять значение выделенных слов самостоятельно:

больной (человек) — человек, который болен;
повар — человек, который готовит еду (завтрак, обед, ужин) в кафе, в столовой, в ресторане;
лентяй — человек, который не любит работать, не работает;
вернуться I *куда? откуда?* = приехать (прийти) *куда? откуда?*;
дважды = два раза; **дважды два — четыре** → 2×2 = 4.

Кто?	*Что?*	*Какой?*	*Что (с)делать?*
больной			**болеть — заболеть**
	камень	каменный	
		подготовительный	**готовиться** II — **подготовиться** II *к чему?*

Задание 11.

Укажите слова (словосочетания), выпадающие из тематического ряда:

геолог, географ, повар, лентяй, продавец;
поступать, выступать, готовиться к экзамену, сдавать экзамен, учиться;
вернуться, приехать, прийти, волноваться.

Задание 12.

а) Укажите слова (словосочетания), близкие по смыслу:

доволен, выступать, стать студентом, петь (танцевать, читать стихи), поступить (в институт), загорелый, коричневый, рад.

б) Укажите слова, далёкие по смыслу:

родиться, здоровый, поступить, умереть, окончить, больной.

Задание 13.

Закончите предложения, используя нужные словосочетания:

Слова для справок: дважды два — четыре; одно и то же; вся жизнь впереди; играть роль; умирать со смеху.

1. В цирке выступали смешные клоуны, и дети ... .
2. Артисту не нравится его роль в фильме, он хочет ... полицейского.
3. Первая неудача — это не конец жизни, у вас ... .
4. Всё очень просто и понятно, как ... .
5. Мама не любит, когда сын не слушает её. Она говорит: «Я не буду дважды повторять».

Задание 14.

Прочитайте глаголы несовершенного вида. Назовите соответствующие глаголы совершенного вида. Составьте с ними предложения.

Поступать, путать, выбирать, возвращаться, ставить, сдавать (экзамен), улыбаться.

- **знать** *что?* ф IV В. п.: Я знаю русский язык.
  (после глагола «**знать**» нельзя использовать инфинитив).
- **мочь** I – **смочь** I + (...ть): Я не могу рассказать текст.
- **уметь** I – **суметь** I + (...ть): Я не умею играть в шахматы.
  (После глаголов «**мочь**», «**уметь**» используется инфинитив).

Глагол «**уметь**» означает иметь способность в какой-либо работе, в каком-либо деле.
Уметь танцевать, **уметь** рисовать.
Глагол «**уметь**» называет постоянный признак.

Глагол «**мочь**» называет временный признак и означает «быть в состоянии, в силах что-то сделать».
Я **умею** танцевать, но сейчас **не могу**: у меня болит нога.

Задание 15.

Вставьте глаголы **знать**, **мочь**, **уметь** в правильной форме.

1. Маленький мальчик ещё не **...** ходить.
2. Анна **...** читать и писать по-китайски.
3. А.С. Пушкин прекрасно **...** французский язык.
4. Новый студент не **...** буквы, слова, грамматику.
5. Марта **...** петь, но сейчас она не **...** , потому что сейчас урок.
6. Виктор **...** решать задачи, но эту трудную задачу он не **...** решить.
7. Никто не **...** помочь вам.
8. Вы **...** принести в нашу аудиторию ещё два стула?

Задание 16.

Используя глаголы **знать**, **мочь**, **уметь**, измените предложения.

1. Антон не сделал домашнее задание, потому что вчера у него были гости.
2. Андрей хорошо бегает.

3. Юра — прекрасный физик.
4. Ирина быстро работает на компьютере.
5. Татьяна — талантливый преподаватель истории.
6. Ахмед не пришёл на урок, потому что заболел.
7. Сыну только полгода, он ещё не говорит.
8. Переводчик говорит на двух языках.

Задание 17.

Прочитайте текст и скажите, нашёл ли Максим Куликов своё место в жизни.

Артист

Я ещё в де́тстве мечта́л ста́ть арти́стом. Я уме́л пе́ть, танцева́ть и пока́зывать, как выступа́ют кло́уны в ци́рке. Когда́ к нам *приходи́ли* го́сти, ма́ма **ста́вила** меня́ на сту́л и я начина́л чита́ть стихи́. Все говори́ли: «Како́й *молоде́ц*! У него́ е́сть тала́нт».

Когда́ я учи́лся в шко́ле, я **выступа́л** на всех шко́льных вечера́х, занима́лся в ра́зных *кружка́х* и пел в де́тском *хо́ре*.

Во вре́мя переры́ва я пока́зывал свои́м одноклассникам, как говоря́т и хо́дят на́ши учителя́. Ребя́та **умира́ли со сме́ху**. Когда́ я не учи́л до́ма уро́ки, я **игра́л ро́ль больно́го**: я начина́л *о́хать* и говори́л, что у меня́ боли́т голова́ и́ли се́рдце. Оди́н раз учи́тельница **геогра́фии** да́же *вы́звала* врача́. Когда́ врач *осмотре́л* меня́, он сказа́л, что я «вели́кий арти́ст». Это был мо́й пе́рвый **успе́х**. Я *твёрдо* реши́л ста́ть арти́стом.

И вот мы око́нчили шко́лу, **сда́ли** после́дний **экза́мен**. Начала́сь но́вая жи́знь. Ребя́та ду́мают, кем бы́ть, каку́ю профе́ссию вы́брать. А я уже́ всё реши́л. Роди́тели бы́ли **недово́льны**. Ма́ма сове́товала мне ста́ть учи́телем, па́па инжене́ром. Всё э́то, коне́чно, хорошо́, но ску́чно. Ну кака́я жи́знь у шко́льных учителе́й? Ка́ждый день **одно́ и то же**: **два́жды два – четы́ре**. Или ста́ть инжене́ром и всю жи́знь рабо́тать на заво́де? Ну уж нет! Са́мая лу́чшая профе́ссия — арти́ст: мо́жно е́здить в ра́зные города́ и стра́ны, игра́ть но́вые ро́ли.

Я мечта́л, как бу́ду выступа́ть в са́мых изве́стных теа́трах. Во всех журна́лах бу́дут мои́ фотогра́фии, де́вушки бу́дут дари́ть мне цветы́, а мои́ шко́льные друзья́ уви́дят меня́ по телеви́зору. Все они́ бу́дут обы́чными врача́ми, инжене́рами, строи́телями. Они́ бу́дут говори́ть свои́м де́тям, друзья́м и *знако́мым*: «Смотри́те! Смотри́те! Это — изве́стный арти́ст Макси́м Кулико́в! Я учи́лся с ним в одно́м кла́ссе».

Всё ле́то мои́ това́рищи **гото́вились к** экза́менам, а я мечта́л. **Наконе́ц**, я поехал в Москву́ **поступа́ть** в театра́льный институ́т. На экза́мене я так **волнова́лся**, что перепу́тал все слова́, когда́ чита́л стихи́. Пел я то́же пло́хо.

Поня́тно, что экза́мен я не сдал. Снача́ла я хоте́л **умере́ть**. Но ста́рый профе́ссор сказа́л мне: «Молодо́й челове́к, **у вас впереди́ вся жи́знь**! На земле́ мно́го ра́зных профе́ссий. Все они́ о́чень ва́жные и интере́сные. Са́мое гла́вное — найти́ своё ме́сто в жи́зни. Если вы серьёзно мечта́ете о теа́тре, приходи́те че́рез год».

Легко́ сказа́ть — «найти́ своё ме́сто в жи́зни». У меня́ не бы́ло ме́ста да́же в общежи́тии. Что де́лать? **Верну́ться** домо́й? Никогда́! Как я посмотрю́ в глаза́ свои́м друзья́м и знако́мым, свои́м роди́телям? Весь го́род бу́дет **смея́ться надо́ мно́й**: «Смотри́те, арти́ст прие́хал!»

Я сиде́л на вокза́ле и ду́мал, как жи́ть да́льше. Ря́дом со мно́й сиде́ли молоды́е ребя́та с больши́ми **рюкзака́ми** и гита́рой. У них бы́ли си́льные ру́ки и весёлые **загоре́лые** ли́ца. Они́ гро́мко разгова́ривали и смея́лись. Мы познако́мились. Они́ бы́ли гео́логами и рабо́тали в геологи́ческой **экспеди́ции** на **Ура́ле**. Я рассказа́л им свою́ исто́рию. И вдру́г оди́н из них сказа́л: «А хо́чешь пое́хать с на́ми на Ура́л? У нас в экспеди́ции нет **по́вара**. Наш по́вар *заболе́л*, и мы сейча́с и́щем челове́ка на его́ ме́сто. Рабо́та нетру́дная, приро́да там о́чень краси́вая: го́ры, леса́, ре́ки, ка́ждый де́нь но́вые места́ — ску́чно не бу́дет! Согла́сен?»

«Не́т, не могу́, — отве́тил я. — Я хочу́ ста́ть арти́стом».

«Вот и хорошо́! — сказа́л друго́й гео́лог. — Порабо́таешь год у нас, а пото́м посту́пишь, куда́ хо́чешь: хо́чешь — в театра́льный, хо́чешь — в циркво́й!» Все засмея́лись. «Ну, реша́й быстре́е, арти́ст, вре́мя не ждёт!»

И я реши́л пое́хать на Урал вме́сте с гео́логами. Так начала́сь моя́ рабо́та.

На Ура́ле гео́логи иска́ли ра́зные **минера́лы**. Там мне о́чень понра́вилось. Я пе́рвый раз в жи́зни уви́дел го́ры. Одно́ бы́ло пло́хо: я совсе́м не уме́л гото́вить. Гео́логи ча́сто серди́лись, когда́ в су́пе бы́ло мно́го со́ли, а в **компо́те** *пла́вали* **макаро́ны**.

«Эх ты, арти́ст! — говори́ли они́. — Не мо́жешь обы́чную **ка́шу** свари́ть! Ты про́сто **лентя́й**!» Мне бы́ло сты́дно.

На са́мом де́ле гео́логи — ребя́та хоро́шие, дру́жные, они́ помога́ли мне. Ско́ро я научи́лся гото́вить и суп, и ка́шу, но гео́логи всё равно́ продолжа́ли называ́ть меня́ «арти́стом».

Так шло вре́мя. Ко́нчилось ле́то, начала́сь о́сень. Ка́ждый де́нь гео́логи рабо́тали в гора́х, я гото́вил обе́д, а ве́чером мы вме́сте отдыха́ли: пе́ли пе́сни, игра́ли на гита́ре и́ли про́сто разгова́ривали о до́ме, о на́ших се́мьях, о ста́рых друзья́х и, коне́чно, о де́вушках. Иногда́ э́ти разгово́ры продолжа́лись до утра́.

Одна́жды мы *останови́лись* на берегу́ реки́. Гео́логи пошли́ в го́ры, а я, как всегда́, гото́вил у́жин. Когда́ я ко́нчил гото́вить, я нашёл большо́й се́рый **ка́мень** и поста́вил на не́го горя́чий ча́йник. Ве́чером верну́лись гео́логи. Они́ о́чень уста́ли. По́сле у́жина все пи́ли чай. Вдру́г оди́н гео́лог взял ча́йник и сказа́л:

— «Смотри́те! Кто нашёл э́тот ка́мень?»

Все гео́логи внима́тельно посмотре́ли на ка́мень, где стоя́л наш ча́йник.

— «Это я наше́л его́ там, на берегу́», — отве́тил я.

— «Ты?! Вот так но́вость! Это же минера́л, кото́рый мы и́щем уже две неде́ли! Ай да арти́ст! У тебя́ тала́нт гео́лога!» Все засмея́лись, и я тоже.

Утром я пошёл в го́ры вме́сте с гео́логами. Я иска́л минера́лы, кото́рые ну́жны лю́дям. Мне нра́вилась рабо́та в экспеди́ции, нра́вились мои́ но́вые друзья́. Я по́нял, что профе́ссия гео́лога о́чень ва́жная и интере́сная. Че́рез год я поступи́л в геологи́ческий институ́т. Я ду́маю, что тепе́рь я нашёл своё ме́сто в жи́зни.

Задание 18.

Ответьте на вопросы.

1. Как вы думаете, нашёл ли Максим своё место в жизни?
2. Почему он не стал артистом?
3. Что понял Максим, когда работал в экспедиции?
4. Как вы понимаете название текста — «Артист»?

Задание 19.

Закончите предложения в соответствии с содержанием из текста.

1. Максим ещё в детстве мечтал **...** .
2. В школе он умел показывать **...** .
3. После окончания школы Максим решил поступать **...** .
4. Он думал, что профессия артиста самая интересная, потому что **...** .
5. Но Максим не смог поступить в театральный институт, потому что **...** .
6. Новые друзья-геологи пригласили его **...** .
7. В экспедиции он работал **...** .
8. Максим не умел готовить, поэтому **...** .
9. Вечером друзья **...** .
10. Однажды на берегу реки **...** .
11. На следующее утро Максим вместе с геологами **...** .
12. Ему нравилась работа геолога, поэтому **...** .

Задание 20.

Прочитайте часть текста и выберите в ней главное предложение.

а) Старый профессор сказал мне: «Молодой человек, на земле много разных профессий. Все они очень важные и интересные. Самое главное — найти своё место в жизни».

б) Я понял, что профессия геолога очень важная и интересная. Утром я пошёл в горы вместе с геологами. Я искал минералы, которые нужны людям. Мне нравилась работа в экспедиции, нравились мои новые друзья. Через год я поступил в геологический институт.

Задание 21.

Прочитайте часть текста и передайте её содержание 1–2 предложениями.

а) И вот мы окончили школу, сдали последний экзамен. Началась новая жизнь. Ребята думают, кем быть, какую профессию выбрать. А я уже всё решил.

Я мечтал, как буду играть в самых известных театрах. Во всех журналах будут мои фотографии, девушки будут дарить мне цветы, а мои школьные друзья увидят меня по телевизору. Все они будут обычными врачами, инженерами, строителями. Они будут говорить своим детям, друзьям, *знакомым*: «Смотрите! Смотрите! Это — известный артист Максим Куликов! Я учился с ним в одном классе».

Всё лето мои товарищи готовились к экзаменам, а я мечтал.

б) Рядом со мной на вокзале сидели молодые ребята с большими рюкзаками и гитарой. У них были сильные руки и весёлые загорелые лица. Они громко разговаривали и смеялись. Мы познакомились. Они были геологами и работали в геологической экспедиции на Урале. Я рассказал им свою историю. И вдруг один из них сказал: «А хочешь поехать с нами на Урал? У нас в экспедиции нет повара. Наш повар *заболел*, и мы сейчас ищем человека на его место. Работа нетрудная, природа там очень красивая: горы, леса, реки, каждый день новые места — скучно не будет».

Задание 22.

Составьте предложения из данных слов.

- Я, экзамен, на, волноваться, перепутать, и, слова, все, когда, читать, стихи.

- Я, думать, город, над, смеяться, весь, будет, «артист».
- Я, быть, стыдно, повар, плохой, я, быть, потому что.
- Однажды, поставить, я, камень, на, чайник, горячий.
- Геологи, потому что, меня, похвалить, они, минерал, этот, искать, неделя, вся.

Задание 23.

Составьте и напишите 15 вопросов к тексту. Ответьте на них.

Задание 24.

Используя составленные вопросы, перескажите текст. Добавьте к тексту 5–6 предложений об учёбе Максима в геологическом институте и о его работе после окончания института. Как вы думаете, забыл ли он свою мечту стать артистом?

Задание 25.

Прочитайте предложения и скажите, как образуется простая форма сравнительной степени прилагательных (наречий).

Материал для наблюдения

- Петербург красив**ее**, **чем** Москв**а** (= Петербург красив**ее** Москв**ы**).
- Москва больш**е**, **чем** Петербург (= Москва больш**е** Петербург**а**).

- …**-ее**, **чем** + ф I И. п. (=…**-ее** + ф II Р. п.)
- после **ж**, **ч**, **ш**, **щ** … **-е**, **чем** + ф I И. п. (= ___"___ -е + ф II Р. п.)

Запомните

- доро**г**ой, доро**г**о — доро**ж**е
  моло**д**ой, моло**д**о — моло**ж**е
  у**зк**ий, у**зк**о — у**ж**е
  бли**зк**ий, бли**зк**о — бли**ж**е
  ре**дк**ий, ре**дк**о — ре**ж**е

  г, **д**, **зк**, **дк** → **ж**

- гром**к**ий, гром**к**о — гром**ч**е
  бога**т**ый, бога**т**о — бога**ч**е
  коро**тк**ий, коро**тк**о — коро**ч**е

  к, **т**, **тк** → **ч**

- ти**х**ий, ти**х**о — ти**ш**е
  выс**ок**ий, выс**ок**о — вы**ш**е

  х, **ок** → **ш**

- чи**ст**ый, чи**ст**о — чи**щ**е

  ст → **щ**

- большой, много — больше
  маленький, мало — меньше

  старый — старше
  дешёвый, дёшево — дешевле

- хороший, хорошо — лучше
  плохой, плохо — хуже
  широкий, широко — шире
  глубокий, глубоко — глубже
  далёкий, далеко — дальше

Задание 26.

Образуйте сравнительные степени прилагательных и наречий.

- Прямой, древний, **длинный**, интересный, скучный, современный, сильный, главный, любимый, известный, трудный, прекрасный, холодно, тепло, важно.
- Лёг**к**ий, тол**ст**ый, ча**ст**ый, жар**к**ий, твёрдый, мяг**к**ий, про**ст**ой.

Задание 27.
Сравните по образцу:

Урок истории интереснее, **чем** урок физики.
Урок истории интересн**ее** урок**а** физики.

- Индия — Шри-Ланка;
- китайский студент — китайская студентка;
- индийский фильм — американский фильм;
- учёный — студент;
- история Европы — история Америки;
- зима в Сибири — зима в Италии;
- культура Индии — культура Европы.

Задание 28.
Замените сложное предложение на простое.

Летом температура в Москве выше, **чем температура** в Петербурге. — Летом температура в Москве **выше** температур**ы** в Петербурге.

1. Обычно мой друг отвечает на уроке лучше, чем я.
2. Преподаватель говорит громче, чем студенты.
3. Озеро Байкал глубже, чем озеро Арал.
4. Общежитие ближе, чем аэропорт.
5. Золото дороже, чем серебро.
6. Река Волга длиннее, чем река Москва.
7. Город Ростов старше, чем город Москва.
8. Студентка говорит тише, чем студент.

Задание 29.
На примере строки из произведения А.С. Пушкина постарайтесь понять сравнительную конструкцию **чем ... тем**.

Чем меньше женщину мы любим, **тем легче** нравимся мы ей.

А.С. Пушкин

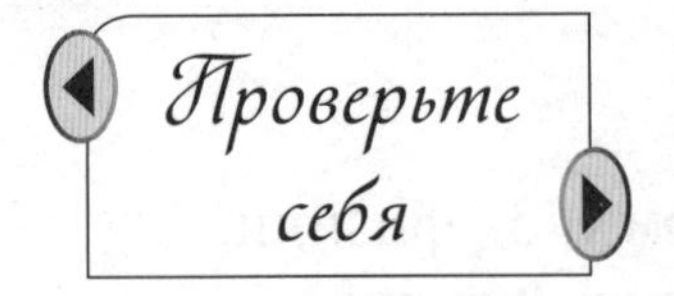

чем + компаратив (условие),
тем + компаратив (следствие, результат)

Задание 30.

Прочитайте предложения. Согласитесь с утверждениями или исправьте их.

- Чем больше студент занимается, тем меньше он знает.
- Чем интереснее урок, тем быстрее он кончается.
- Чем легче задача, тем быстрее мы решаем её.
- Чем холоднее зима, тем лучше.
- Чем дороже пальто, тем оно хуже.
- Чем моложе город, тем он чище.
- Чем ближе каникулы, тем приятнее.

Задание 31.

а) Посмотрите значение следующих слов в словаре:

куда-нибудь
булочка
скучать I *по кому? по чему?*
способный
рисовать I — **нарисовать** I *кого? что?*
платье

б) Прочитайте интернациональное слово и постарайтесь понять его значение. В случае затруднения посмотрите слово в словаре:

секрет.

в) Прослушайте объяснение преподавателя и постарайтесь понять значение слов:

слеза (слёзы), **спектакль** *(м. р.)*, **аплодировать** I

г) Постарайтесь понять значение выделенных слов самостоятельно:

перед (праздником) ≠ после (праздника)
когда? **перед** (V Т. п.) ≠ после (II Р. п.)
чуть-чуть = немного
кому? **стыдно** *за кого?* Сын плохо учится. Отцу **стыдно за** сына.

Задание 32.

а) Укажите слова (словосочетания), выпадающие из тематического ряда:

в деревню, в городе, куда-нибудь, на озеро;
рисовать, скучать, думать, вспоминать.

б) Восстановите слова с пропущенными буквами:

с...кр...т; отм...т...а; п...р...д; вы...ускн...к; ск...ч...ть.

в) Составьте возможные словосочетания:

	девушка		по дому
способная	студентка	скучать	по родителям
	булочка		по прибору

г) Соедините название профессии человека и название работы, которую он выполняет:

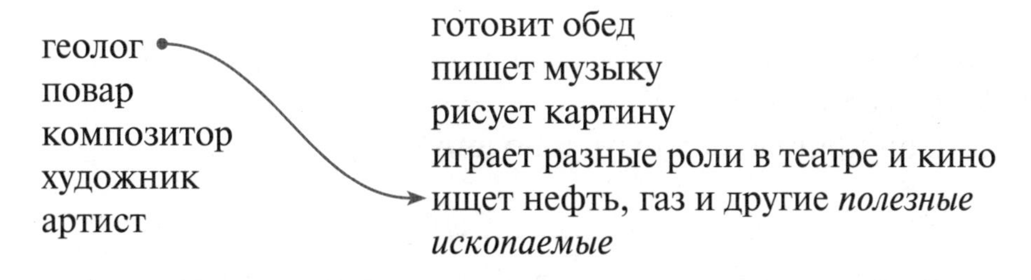

д) Распределите данные слова по темам:

театр	аплодировать, платье, булочка, каша, выступать,
еда	концерт, джинсы, петь, танцевать, плащ,
одежда	спектакль, перчатки, компот, макароны, шуба, артист

Задание 33.

Назовите слова, которые заменены выделенными:

У бабушки было четыре дочери. Все **они** жили в разных городах. — «Они» значит «дочери».

1. Бабушка жила рядом, и я часто ходил **к ней** в гости.
2. Много лет назад бабушка ездила в деревню, где тогда жил **её** брат.
3. Дочери были маленькие, **им** очень нравилось отдыхать в деревне.
4. В школе мне нравилась одна девочка, **её** звали Галя.
5. Я решил пригласить Галю в театр, но как сказать ей **об этом**?
6. Бабушка читала письма и открытки, **которые** прислали **ей** дочери.

Задание 34.

Прочитайте текст и дайте ему название. Будьте готовы ответить на вопросы:

1. Почему бабушка волновалась перед каждым праздником?
2. О чём мечтал её внук?
3. Кого он пригласил в театр и почему?

....

У ба́бушки бы́ло четы́ре до́чери. Все они́ жи́ли в ра́зных города́х, и то́лько моя́ ма́ма жила́ в одно́м го́роде с ба́бушкой. И не *про́сто* в одно́м го́роде, а совсе́м ря́дом — на одно́й у́лице. Так что я ча́сто ходи́л к не́й в го́сти.

Ба́бушка говори́ла, что она́ то́же лю́бит ходи́ть в го́сти. То́лько она́ ре́дко **куда-нибу́дь** ходи́ла и́ли е́здила. Ба́бушка вспомина́ла, как мно́го лет наза́д она́ е́здила в дере́вню, где тогда́ жил её брат. До́чери бы́ли ещё ма́ленькие. Им о́чень нра́вилось отдыха́ть в де́ревне. Днём они́ игра́ли на у́лице с дереве́нскими ребя́тами, а ве́чером пи́ли молоко́ с мя́гкими **бу́лочками**. Так продолжа́лось не́сколько лет. Но пото́м брат ба́бушки у́мер, и они́ бо́льше не е́здили в дере́вню.

Пе́ред ка́ждым **пра́здником** ба́бушка ждала́, что до́чери, кото́рые жи́ли в други́х города́х, приглася́т её в го́сти. Чем бли́же был пра́здник, тем бо́льше волнова́лась ба́бушка. Она́ да́же ходи́ла в магази́ны и выбира́ла пода́рки свои́м вну́кам. До́чери *присыла́ли* ей откры́тки и телегра́ммы, поздравля́ли с пра́здником. Они́ писа́ли, что о́чень лю́бят её и о́чень **скуча́ют**. Но пригласи́ть её в го́сти они́ всегда́ забыва́ли.

В то вре́мя я учи́лся в шесто́м кла́ссе. Учи́лся я норма́льно — не ху́же и не лу́чше, чем други́е ребя́та. Мне нра́вились ра́зные предме́ты, но осо́бенно я люби́л матема́тику. Чем трудне́е была́ зада́ча, тем интере́снее мне бы́ло её реша́ть. А ещё мне нра́вилась одна́ де́вочка. Её зва́ли Га́ля Козло́ва. По-мо́ему, она́ была́ краси́вее всех де́вочек в на́шем кла́ссе. Га́ля была́ серьёзная и о́чень **спосо́бная**: она́ прекра́сно **рисова́ла** и занима́лась в ра́зных шко́льных кружка́х. А у меня́ не бы́ло никаки́х осо́бенных тала́нтов, поэ́тому Га́ля да́же не смотре́ла на меня́ и ре́дко со мно́й разгова́ривала.

Пе́ред Но́вым го́дом я реши́л пригласи́ть Га́лю в теа́тр. Я купи́л два биле́та. Я мечта́л, как бу́ду весь ве́чер сиде́ть ря́дом с Га́лей, мы бу́дем смотре́ть **спекта́кль**, разгова́ривать, е́сть моро́женое в театра́льном буфе́те. Это бу́дет са́мый счастли́вый де́нь в мое́й жи́зни. Но как сказа́ть об э́том Га́ле? Я ещё никогда́ не приглаша́л де́вочек в теа́тр. А вдруг она́ не захо́чет пойти́ со мно́й и́ли расска́жет об э́том всем свои́м подру́гам, и о́ни бу́дут смея́ться. Да, э́то зада́ча была́ трудне́е, чем в матема́тике! Я реши́л поговори́ть с ба́бушкой. То́лько ей одно́й я расска́зывал свои́ **секре́ты**.

Когда́ я пришёл, ба́бушка чита́ла *поздрави́тельные* пи́сьма и откры́тки, кото́рые присла́ли ей до́чери. И я по́нял, что они́ опя́ть не пригласи́ли её на пра́здник. Мои́ роди́тели должны́ бы́ли *пра́здновать* Но́вый год со свои́ми друзья́ми. А ба́бушка?

— Ничего́, ничего́! Я бу́ду смотре́ть телеви́зор. Говоря́т, програ́мма бу́дет о́чень интере́сная, — сказа́ла ба́бушка и улыбну́лась. Мо́жет бы́ть, она́ хоте́ла показа́ть, что нет ниче́го веселе́е и прия́тнее, чем встреча́ть Но́вый год с телеви́зором. Но я по́нял, что на са́мом де́ле ей сейча́с о́чень гру́стно. В ту мину́ту мне ста́ло сты́дно за всех нас: за её дочере́й, за мои́х роди́телей и за себя́, коне́чно. И тогда́ я вдруг сказа́л:

— Ба́бушка, пойдём со мно́й в теа́тр. У меня́ е́сть два биле́та.

Лицо́ ба́бушки ста́ло таки́м счастли́вым! На её глаза́х бы́ли слёзы.

— В теа́тр? Прекра́сно! В теа́тр! Я сто лет не была́ в теа́тре! А когда́ начина́ется спекта́кль? Ну́жно поду́мать, како́е **пла́тье** *наде́ть*. Как ты ду́маешь, чёрное бу́дет непло́хо?

Я не по́мню, како́й спекта́кль мы смотре́ли. Я по́мню то́лько, что он нам о́чень понра́вился, по́мню, как гро́мче всех **аплоди́ровала** ба́бушка и смея́лась, как де́вочка. Я по́мню, как мы с удово́льствием е́ли моро́женое в буфе́те и каки́ми счастли́выми глаза́ми смотре́ла на меня́ ба́бушка. Она́ да́же ста́ла **чу́ть-чу́ть** моло́же и краси́вее.

Я ничего́ не рассказа́л ей о Га́ле. Сейча́с, че́рез мно́го лет, когда́ я стал ста́рше, я ду́маю: «Как жа́ль, что ба́бушку не ви́дели в тот ве́чер её до́чери. Они́ так никогда́ и не узна́ли, как легко́ бы́ло сде́лать её счастли́вой».

Задание 35.

Выберите лучшее из предложенных вами названий текста. Ответьте на вопросы.

1. Где жили дочери бабушки?
2. Как они отдыхали в деревне, когда были маленькими?
3. О чём дочери писали бабушке?
4. О чём они забывали написать? Как вы думаете, почему?
5. Кто такая Галя Козлова?
6. Почему мальчик не знал, как пригласить её в театр?
7. Кому мальчик хотел рассказать о Гале? Как вы думаете, почему?
8. Почему мальчик решил пойти в театр с бабушкой?
9. Была ли бабушка счастливой вечером перед Новым годом? Докажите по тексту, что это так.
10. Почему мальчик ничего не рассказал бабушке о Гале?

Задание 36.
Расположите предложения в соответствии с событиями текста.

◯ 1. Дочери писали бабушке, но никогда не приглашали её в гости.

◯ 2. Мальчик жил в одном городе с бабушкой.

◯ 3. Бабушке и внуку очень понравился спектакль.

◯ 4. Перед праздником бабушка ждала приглашения и выбирала подарки.

◯ 5. Мальчик хотел пригласить в театр девочку, которая ему нравилась.

◯ 6. В детстве дочери бабушки часто отдыхали в деревне.

◯ 7. Мальчик пригласил в театр бабушку.

Задание 37.
Что вы можете сказать о характере мальчика?

- Выберите одно, самое точное слово: **смелый**, **добрый**, **прямой**, **весёлый**, **мягкий**.
- Как вы думаете, мальчик стал настоящим человеком?

Задание 38.
В чём смысл (идея) рассказа? Выберите самое точное утверждение (предложение) из приведённых ниже.

- Дочери бабушки были недобрыми людьми.
- Мальчик и бабушка хорошо понимали друг друга.
- Сделать человека счастливым не очень трудно.

Задание 39.

а) Расскажите текст в 10–15 предложениях.

б) Расскажите текст, добавив 5–7 предложений о том, как мальчик жил дальше (где он учился; кем он стал; кем стала Галя Козлова; рассказал ли он ей историю с билетами; продолжает ли он любить Галю).

Задание 40.

- Как вы думаете, легко ли сделать человека счастливым?
- Что для этого нужно делать?
- Были ли в вашей жизни случаи, когда вы сделали кого-то счастливым? Расскажите об этом.

ЭТО ВЫ УЖЕ ЗНАЕТЕ

Окончания прилагательных мужского, женского и среднего рода

I	И. п.	**-ые/-ие; -и**	**-ы/-и; -а/-я**
II	Р. п.	**-ых/-их**	**-ов/-ев; -ей/-ий, ∅**
III	Д. п.	**-ым/-им**	**-ам/-ям**
IV	В. п.	*Кого?* = Р. п: **-ых/-их** *Что? Куда?* = И. п: **-ые/-ие, -и**	**-ов/-ев, -ей/-ий, ∅** **-ы/-и, -а/-я**
V	Т. п.	**-ыми/-ими**	**-ами/-ями**
VI	П. п.	**-ых/-их**	**-ах/-ях**

(1) Слушайте преподавателя, читайте вопросы и отвечайте на них.

1. Вы знаете русских писателей? Каких?
2. О каких русских учёных вы можете рассказать? Какие **открытия** они **сделали**?
3. В каких странах вы были?
4. Какие страны вам понравились больше всего? Почему?
5. В какие города и страны вы хотите поехать? Почему?
6. С какими людьми вы познакомились в Москве? Вы хотите стать друзьями этих людей?
7. В общежитии вы живёте с вашими соседями *дружно*?
8. Вы поздравляете ваших новых друзей с праздниками?
9. Вы дарите подарки вашим друзьям на день рождения?
10. У вас есть настоящие друзья? Это богатые, талантливые, известные люди?
11. Кем мечтают стать студенты вашей группы?

Сравнительная степень прилагательных и наречий
(компаратив)
-ее/-е, *чем* + I И. п. = **-ее/-е** + II Р. п.

2 Сравните по образцу.

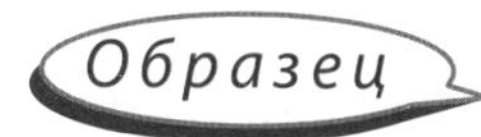

(большой) Новгород — Петербург — Москва:
Петербург **больше, чем** Новгород (= больше Новгорода), Москва — **самый большой** город.

- (дорогой металл): серебро — золото — платина;
- (глубокий): река — море — океан;
- (высокое здание): школа — современная гостиница — МГУ;
- (широкий): улица — проспект — площадь;
- (вкусный): вода — сок — чай;
- (короткое слово): да — нет — и;
- (хорошее время года): зима — весна — лето.

3 Закройте учебник. Прослушайте шутки, перескажите, обращая внимание на формы **мн. ч.**, **сравнительную степень наречий и прилагательных**.

Новые слова: Вы́учите! всё ле́че и ле́гче.

***

— Как можно изучить много языков? — спросил студент профессора, который знал 12 разных языков.

— О, это нетрудно, — ответил профессор. — Сначала выучите французский язык, тогда испанский и итальянский Вам будет изучить проще, ну а каждый новый язык идёт всё легче и легче.

***

Новые слова: сарди́ны, собира́ться (+ ... инфинитив).

— Скажите, пожалуйста, у вас есть сардины? — спросил покупатель продавца.

Продавец улыбнулся и сказал:

— Да, пожалуйста, у нас большой выбор португальских, испанских, французских сардин. Какие вы хотите?

— Мне всё равно. Я не собираюсь разговаривать с этими сардинами, — ответил покупатель.

***

Новые слова: Луна́, учи́тель, учени́к.

На уроке учитель спрашивает учеников:

— Как вы думаете, что ближе — Луна или Америка?

— Конечно, Луна, — отвечает один мальчик.

— Луна? Почему ты так думаешь?

— Потому что мы видим Луну, но не видим Америку.

***

Новое слово: архео́лог.

Однажды известную писательницу спросили, почему она стала женой археолога.

– Потому что только археолог может продолжать любить женщину, когда она станет старой. И чем старше женщина, тем сильнее он будет любить её, тем дороже она ему будет.

Урок 

Речевые образцы	Осенью птицы **летят** на юг. Отец **был у врача**. Мой друг **ездил к родителям**. Студенты **пришли от декана**. **Дайте**, пожалуйста, чашку кофе! Мама **хочет, чтобы** сын ста**л** инженер**ом**.
Грамматический материал	Глаголы движения без приставок; Р. п. места (у кого?); Р. п., Д. п. с глаголами движения и некоторыми другими; повелительное наклонение; конструкция ***хотеть, чтобы***.
Тексты	*«Русалочка»* *«Юрий Алексеевич Гагарин»*

Задание 1.

Посмотрите на таблицу 1. Постарайтесь понять значение и сферу употребления **бесприставочных глаголов движения**.

Материал для наблюдения

Таблица 1

→		⇄ ↗↘
идти I *куда?* иду, идёшь, ..., идут (*прош. вр.*: шёл, шла, шли)		**ходить** II *куда?* (*где?*) хожу, ходишь, ..., ходят
ехать I *куда?* еду, едешь, ..., едут		**ездить** II *куда?* (*где?*) езжу, ездишь, ..., ездят
бежать I/II *куда?* бегу, бежишь, ..., бегут		**бегать** I *куда?* (*где?*)
лететь II *куда?* лечу, летишь, ..., летят		**летать** I *куда?* (*где?*)
плыть I *куда?* плыву, плывёшь, ..., плывут		**плавать** I *куда?* (*где?*)

нести I *кого? что? куда?* несу, несёшь, ..., несут (*прош. вр.*: нёс, несла, несли)		**носить** II *кого? что? куда?* ношу, носишь, ..., носят
вести I *кого? куда?* веду, ведёшь, ..., ведут (*прош. вр.*: вёл, вела, вели)		**водить** II *кого? куда?* вожу, водишь, ..., водят
везти I *кого? что? куда?* везу, везёшь, ..., везут (*прош. вр.*: вёз, везла, везли)		**возить** II *кого? что? куда?* вожу, возишь, ..., возят

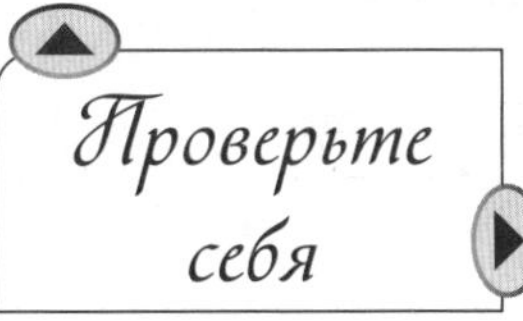

- Глаголы движения I группы обозначают движение **в одном направлении**.
  а) В настоящем времени это движение в момент речи (**сейчас**) или **повторяющееся** движение в одном направлении (только **туда** или только **обратно**).
  б) В прошедшем и будущем времени это движение в одном направлении, в процессе которого совершается другое действие.
- Глаголы движения II группы обозначают:
  а) повторяющееся движение **туда — обратно**;
  б) в прошедшем времени — также **однократное** движение **туда — обратно**;
  в) **разнонаправленное** движение.

Таблица 2

I группа	II группа
а) Я **иду** в институт (**сейчас**).  Каждое утро я встаю и **иду** в институт. 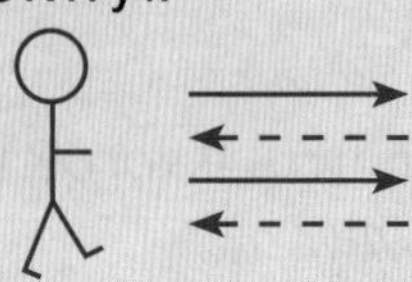	**а)** Я **хожу** в институт (**каждый день**). 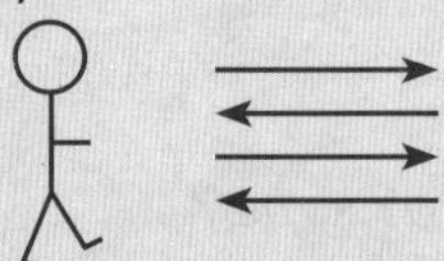
б) Я **шёл** и думал о матери. 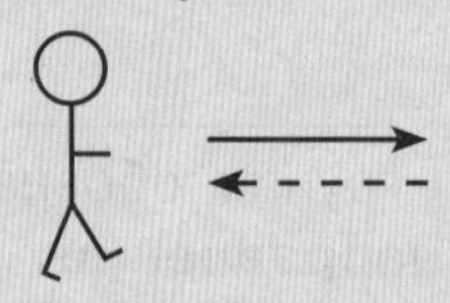 Когда я **шёл** в институт, я встретил (встречал) этого старого человека. 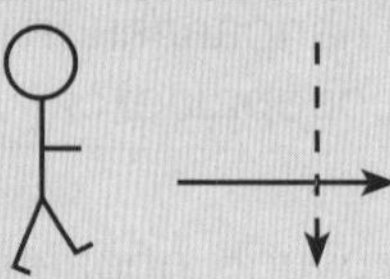	**б)** Вчера я **ходил** в Большой театр (= Вчера я был в Большом театре). 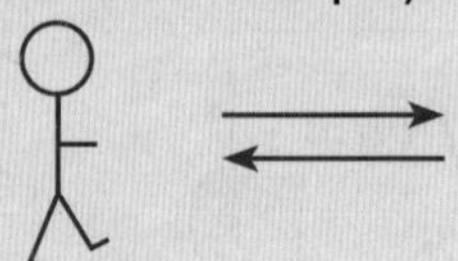
———	**в)** Вчера я **ходил** по городу. 

Задание 2.

а) Прочитайте текст. Найдите глаголы движения и объясните, почему использован данный глагол. Дайте название тексту.

....

Поду́мать то́лько, как бы́стро лети́т вре́мя! Ещё вчера́ бы́ло ле́то, а сего́дня кани́кулы ко́нчились, и ну́жно опя́ть идти́ в шко́лу. Все кани́кулы я то́лько и де́лал, что бе́гал по у́лицам, ходи́л с ребя́тами в кино́, пла́вал, а о кни́гах и ду́мать забы́л.

И вот уже́ пе́рвое сентября́. На у́лице шу́мно и ве́село: все ма́льчики и де́вочки, больши́е и ма́ленькие, иду́т в шко́лу: кто идёт оди́н, кто идёт с друзья́ми, ма́мы веду́т малыше́й, малыши́ несу́т цветы́. Одни́ иду́т ме́дленно, как я, други́е бегу́т, как на **пожа́р**. Все ра́ды, и я то́же: сейча́с я уви́жу свои́х шко́льных друзе́й.

(по Н. Носову)

б) Как вы понимаете выражение «время летит быстро»? Согласны вы с этими словами?

Задание 3.

Используя материал таблицы 1, исправьте предложения.

- Рыба бегает.
- Самолёт плавает.
- Автобус носит *пассажиров*.
- Каждый год студенты ходят на родину.
- Лётчик возит самолёт.
- Посол бегает в посольство.
- *Почтальон* водит письма.
- Экскурсовод носит туристов по городу.

Задание 4.

Скажите, что действие повторяется **часто**, **каждый день (год, месяц)**, **иногда**, **редко**; **не случается никогда**.

- Борис идёт в театр. Он часто **...** в театр.
- Родители с детьми едут на море. Они каждое лето **...** на море.
- Сейчас Денис летит в Лондон. Иногда он **...** в Париж.
- Морская рыба никогда не **...** в реке.
- Котёнок не любит бегать. Он редко **...** .

Задание 5.

Вставьте глаголы **идти — ходить** или **ехать — ездить** в правильной форме:

1. — Здравствуй, Андрей!
— Здравствуй, Антон!
— Куда ты **...** ?
— Я **...** в бассейн.
— Ты часто **...** в бассейн?
— Да, я **...** в бассейн три раза в неделю. Я люблю плавать.

2. — Здравствуй, Лиза!
— Здравствуй, Аня!
— Где ты была вчера вечером? Я звонила тебе, но тебя не было дома.
— Я **...** в театр, смотрела новый спектакль.
— Ты часто **...** в театр?
— Нет, не очень. Я больше люблю **...** в кино. А ты?
— А я никогда не **...** в кино. Я смотрю фильмы дома.

Задание 6.

Используя таблицы 1 и 2, закончите предложения или вставьте пропущенные глаголы движения в правильной форме.

1. Антон идёт в театр. Он часто **...** .

2. Каждое воскресенье мой друг встаёт и **...** на стадион. Я никогда не **...** на стадион.

3. Год назад мы **...** на Чёрное море. Мы всегда **...** туда отдыхать.

4. Наш преподаватель советует нам больше **...** по городу.

5. Когда я **...** в университет, я встретил на улице своего первого школьного учителя.

6. Новые студенты не были на уроке, потому что они **...** в посольство.

7. Маленький ребёнок ещё плохо **...** .

8. Во время перерыва студенты быстро **...** в буфет.

Задание 7.

Измените предложения, используя нужный глагол движения.

Преподаватель **идёт с тетрадями** в аудиторию.
Преподаватель **несёт** тетради в аудиторию.

1. Экскурсовод идёт с туристами в Кремль.
2. Отец едет с сыном в больницу.
3. Мама идёт в детский сад с маленьким сыном.
4. Дети идут с цветами в школу.
5. Мальчик идёт с собакой гулять.
6. Девочка едет с котёнком.
7. Спортсмен идёт с мячом.
8. Домработница идёт с посудой.

Задание 8.

Вставьте нужный глагол движения.

1. По дороге **...** автобус. Он **...** туристов. Туристы **...** в Петербург.

2. По реке **...** большой **корабль**. Корабль **...** пассажиров. Пассажиры **...** в Новгород.

3. Каждое воскресение сын **...** в больницу и **...** отцу фрукты.

4. Молодой человек **...** на день рождения подруги и **...** ей розы.

5. Вчера студенты **...** в Исторический музей. Преподаватель **...** их на экскурсию.
6. Мы видели Катю в метро. Она **...** и **...** маленький торт.
7. Мы видели Андрея на улице. Он **...** и **...** большой чемодан.
8. Мы видели Лизу на улице. Она **...** и **...** маленького сына *в коляске*.

Обратите внимание

— Вы **принесли** тетрадь сегодня? — Нет, **не принёс** (**не принесла**, **не принесли**).

— **Принесите**, пожалуйста, завтра! (**Приносите** тетради каждый день!)

Задание 9.

Используя глагол **приносить** II — **принести** I в правильной форме, обещайте, что ваши друзья и вы завтра сделаете то, что не сделали сегодня.

Сегодня у Кати нет русско-английского словаря. Сегодня Катя **не принесла** русско-английский словарь, но она **принесёт** его завтра.

1. У моего друга нет паспорта.
2. У моих друзей нет чистых тетрадей.
3. Сегодня у меня нет тетради с домашним заданием.
4. У Анны нет синей ручки, простого карандаша и бумаги.
5. Сегодня Лена забыла студенческий билет.
6. На столах нет новых учебников.
7. Сегодня Лиза не взяла на урок *линейку*.
8. Я купил тебе подарок, но забыл его дома.

Задание 10.

Прочитайте предложения и постарайтесь понять, когда мы используем предлоги **в (на) — к; в (на) — у; из (с) — от**.

Материал для наблюдения

- Андрей **ездил на** родину к своим родителям.
- Андрей **был на** родине у своих родителей.
- Андрей **приехал с** родины **от** своих родителей.
- Он **получил** письмо **с** родины **от** своих родителей.
- Анна **идёт к** метро.
- Анна **идёт от** метро.

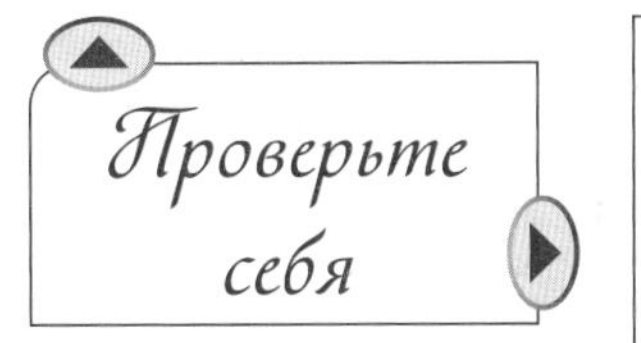

- Предлог **к**, в отличие от предлогов **в** (**на**), показывает, что движущийся (двигавшийся) человек (предмет) **не будет** (**не был**) внутри конечного пункта своего движения (Я ходил **к** зданию парламента ≠ Я ходил **в** здание парламента.) часто используется для указания **направления движения** к другому человеку (Я ходил **в** больницу **к** врачу).
- Предлоги **от**, **у**, в отличие от предлогов **из** (**с**), показывают, что человек (предмет) **находится** (**находился**, **будет находиться**) **около** другого предмета, места, человека. (Я иду **от** памятника Пушкину. Я был **у** памятника Пушкину. Я пришёл **из** больницы **от** врача. Я был **в** больнице **у** врача.)

Обратите внимание

— *Куда* ты идёшь? — Я иду **к врачу**.
— *Где* был Виктор? — Он был **у друга**.
— *Откуда* пришла Женя? — Она пришла **от подруги**.

Задание 11.

а) Скажите, **куда (к кому) ходили/ездили** эти люди, если мы знаем, что:

1. Анна разговаривала со своими родителями.
2. Мария — со старой школьной подругой.
3. Ахмед — с преподавателем русского языка.
4. Студенты — с деканом подготовительного факультета.
5. Друзья — с известным писателем.
6. Туристы — с талантливыми артистами.
7. Виктор — со своей бывшей учительницей.
8. Китайская студентка – с послом.

б) Откуда (от кого) они вернулись, где (у кого) они были?

Задание 12.

Скажите, **откуда** (**от кого**) вернулись эти люди, если мы знаем, что:

1. Антон был в Германии у своих друзей.
2. Старшая дочь ездила к родителям на *дачу*.
3. Ванли был в посольстве у секретаря.
4. Виктор летал в Новгород к подруге.
5. Младший сын ходил к матери в больницу.
6. Марта ездила в Петербург к Марине.
7. Родители ходили в школу к учителю.
8. Новый сосед был у арабского студента на дне рождения.

Задание 13.

а) Скажите, **где (у кого) были** эти люди, если мы знаем, что:

1. Антон видел своих институтских друзей.
2. *Аспирант* разговаривал со своим *руководителем*.
3. Новые студенты познакомились с деканом.
4. Мама слушала детского врача.
5. Молодой поэт говорил с известным писателем.
6. Музыкант слушал советы талантливого композитора.
7. *Высокий гость* разговаривал в Белом доме с президентом.

б) Откуда (от кого) вернулись эти люди, куда (к кому) они ходили?

Задание 14.

а) Скажите, **куда (к кому) плавали**, **летали**, **бегали** эти люди, если:

1. Андрей был в Америке у американских *коллег*.
2. Олег был на втором этаже у соседа.
3. Анна была в Англии у своего друга.
4. Женя была в Индии у старшего брата.
5. Ирина была в Новосибирске у своего дедушки.
6. Саша был в магазине у знакомого продавца.
7. Внук был в соседнем доме у бабушки.

б) От кого они **приплыли**, **прилетели**, **прибежали**?

Задание 15.

а) Посмотрите значение следующих слов в словаре:

прозрачный
дно *где?* **на дне**
сад *где?* **в саду**
нежный
голос

сладкий
корабль *(м. р.)*
животное, -ые
земля
лошадь *(ж. р.)*

поднимать I | **поднять** I | *кого? что? куда?*
подниматься I | **подняться** I | *куда?*

небо
облако
принц
товар
буря
волна
тонуть I | **утонуть** I

кричать II | **крикнуть** I
спасать I | **спасти** I | *кого? что?*
пр. вр. **спас, спасла, спасли**
погибать I | **погибнуть** I
пр. вр. **погиб, погибла, погибли**
оставлять I | **оставить** II | *кого? что? где?*
корзина
счастье

б) Прочитайте следующие слова и постарайтесь понять их значение:

юноша = молодой человек
милый ≈ дорогой, приятный (милая девушка)
странный ≈ необычный
невозможно ≈ нельзя

в) Прослушайте объяснение преподавателя и постарайтесь понять значение слов:

русалка (русалочка); **тонкий** (худой); **наверх** *куда?*;
под *чем?* ф V Т. п. ≠ **над** *чем?* ф V Т. п., **закрытые** (глаза);
целовать I — **поцеловать** I *кого? что?*

Задание 16.

Укажите слова, выпадающие из тематического ряда:

нежный, милый, приятный, закрытый, сладкий;
озеро, река, государство, море, волны;
небо, солнце, луна, товар, облако;
глаза, лицо, буря, волосы, рука, нога;
наверх, вниз, направо, налево, наконец.

Задание 17.

Восстановите слова с пропущенными буквами:

г...ло...; л...шад...; в...лн...; к...р...бль; жи...от...ое.

Задание 18.

а) Укажите слова, близкие по значению:

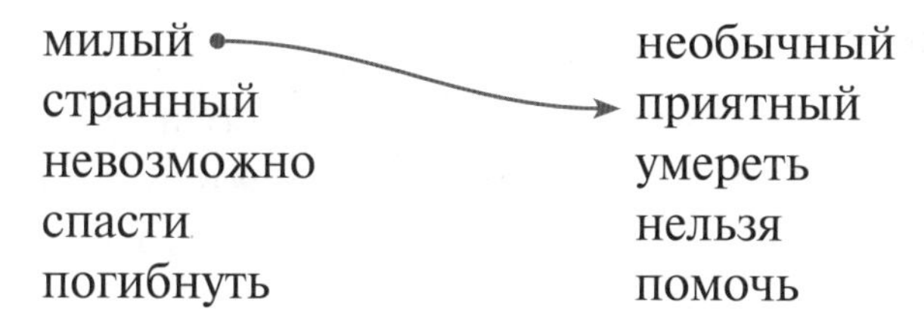

б) Укажите слова, далёкие по значению:

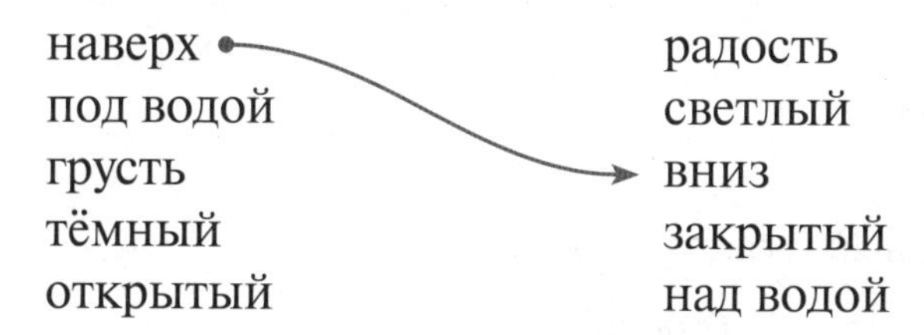

Задание 19.

Распределите данные слова по темам:

товары
море

волны, обувь, сосиски, плавать, перчатки, лекарства, прозрачное, приборы, розы, тонуть, дно, буря, посуда, корабль

Задание 20.

Прочитайте глаголы несовершенного вида. Назовите соответствующие глаголы совершенного вида. Составьте с ними предложения:

Поднимать, тонуть, кричать, погибать, улыбаться, спасать, целовать.

Задание 21.

Составьте возможные словосочетания:

небо	прозрачное синее тонкое	оставить	облако животных товары
корабль	кричал тонул плыл	подниматься	вниз над водой наверх

Задание 22.

а) Соотнесите существительные с глаголами.

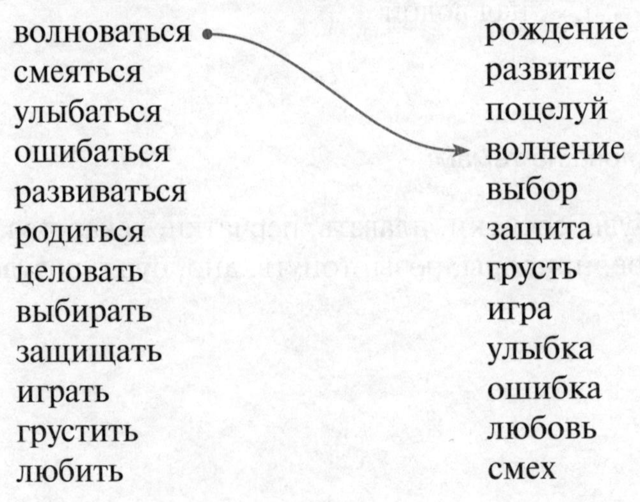

волноваться	рождение
смеяться	развитие
улыбаться	поцелуй
ошибаться	волнение
развиваться	выбор
родиться	защита
целовать	грусть
выбирать	игра
защищать	улыбка
играть	ошибка
грустить	любовь
любить	смех

б) Образуйте отглагольные существительные.

Образец

выступать —	выступить	→	**выступление**
уметь	———		...
спасать —	спасти		...
возвращаться —	вернуться		...

основать	→	**основание**
молчать		...
рисовать		...
мечтать		———

открывать — открыть → ...

Задание 23.

а) Текст, который вы будете читать, называется «Русалочка».

Как вы думаете, это реальная история или сказка?

б) Прочитайте текст. Ответьте на вопросы.

1. О чём мечтала русалочка?
2. Почему она спасла принца?
3. Какие песни русалочка поёт и почему?

Русалочка

Дале́ко в мо́ре вода́ си́няя-си́няя, как **не́бо**, и **прозра́чная**-прозра́чная, как во́здух. Глубоко́ **под водо́й**, на **дне** мо́ря, стои́т дворе́ц морско́го царя́. Ря́дом с дворцо́м прекра́сный **сад**. В э́том саду́ пла́вают ры́бы, больши́е и ма́ленькие, совсе́м как пти́цы лета́ют в во́здухе у нас на земле́.

В э́том дворце́ жил морско́й ца́рь со свои́ми дочерьми́-**руса́лками**. Все до́чери царя́ бы́ли о́чень краси́вые. Но **миле́е** всех была́ са́мая мла́дшая Руса́лочка. У неё бы́ли дли́нные во́лосы, **не́жное** лицо́ и больши́е глаза́ — си́ние и глубо́кие, как мо́ре. А ещё у неё был прекра́сный **го́лос**. Никто́ из люде́й не мо́жет пе́ть так **сла́дко** и краси́во, как руса́лки. То́лько у Руса́лочки не бы́ло ног, а был *хвост*, как у ры́бы.

Весь день игра́ли сёстры во дворце́, пла́вали в саду́ вме́сте с весёлыми ры́бками. То́лько са́мая мла́дшая Руса́лочка не игра́ла с сёстрами в шу́мные и́гры. Бо́льше всего́ она́ люби́ла слу́шать расска́зы свое́й ста́рой ба́бушки о больши́х **корабля́х** и города́х, о лю́дях и **живо́тных**, кото́рые живу́т **на земле́**. Руса́лочка хоте́ла бо́льше узна́ть о жи́зни люде́й. Там, на земле́, жи́знь была́ совсе́м друга́я, интере́сная и необы́чная. Ба́бушка расска́зывала, что лю́ди живу́т в больши́х города́х, они́ не пла́вают, а хо́дят по земле́ на двух **то́нких** дли́нных нога́х. Это так смешно́ и некраси́во! Иногда́ они́ бе́гают, но не о́чень бы́стро, и́ли е́здят в ма́леньких до́миках. Эти до́мики во́зят больши́е живо́тные, кото́рые называ́ются **ло́шади**. Лю́ди *но́сят оде́жду*, кото́рая защища́ет их от хо́лода. Руса́лочка о́чень хоте́ла посмотре́ть на люде́й, но оте́ц не разре́шал ей **поднима́ться наве́рх**, потому́ что она́ была ещё ма́ленькая.

Но вре́мя лети́т бы́стро. Наконе́ц Руса́лочке испо́лнилось 15 лет, и она́ впервы́е поднялáсь наве́рх. Пе́рвый раз в жи́зни Руса́лочка уви́дела со́лнце и *голу́бое* **не́бо**. По не́бу плы́ли лёгкие **облака́**. Это бы́ло так краси́во! В не́бе лета́ли бе́лые пти́цы. «Каки́е **стра́нные** ры́бы!» — поду́мала Руса́лочка. Она́ никогда́ ра́ньше не ви́дела птиц. По мо́рю плы́ли больши́е корабли́. Они́ везли́ в го́род ра́зные **това́ры** и люде́й.

Оди́н кора́бль плы́л так бли́зко, что Руса́лочка могла́ хорошо́ ви́деть всё, что там бы́ло. На корабле́ был пра́здник — де́нь рожде́ния молодо́го **при́нца**. Там бы́ло мно́го люде́й, они́ пе́ли, танцева́ли, игра́ла весёлая му́зыка, все поздравля́ли при́нца. Ах, как хоро́ш был молодо́й при́нц! Высо́кий краси́вый **ю́ноша** с больши́ми чёрными глаза́ми. Он улыба́лся и разгова́ривал с гостя́ми.

До́лго плыла́ Руса́лочка *за кораблём*. Она́ смотре́ла на прекра́сного при́нца, и *её се́рдце сла́дко боле́ло*...

Бы́ло уже́ по́здно, и Руса́лочка хоте́ла верну́ться домо́й. Но вдру́г начала́сь си́льная **бу́ря**: не́бо ста́ло тёмным, пошёл до́ждь, огро́мные **во́лны** поднима́лись, как чёрные го́ры. Кора́бль на́чал **тону́ть**. Лю́ди на корабле́ бе́гали и **крича́ли**, но они́ ничего́ не могли́ сде́лать. Бу́ря была́ сильне́е, чем лю́ди.

Руса́лочка зна́ла, что лю́ди не мо́гут жи́ть в воде́, они́ **поги́бнут** в мо́ре. Нет-нет! Прекра́сный при́нц не до́лжен умере́ть! Руса́лочка должна́ его́ **спасти́**! Она́ бы́стро плы́ла по волна́м и иска́ла при́нца глаза́ми.

После́дние си́лы ***оста́вили*** *молодо́го при́нца*, он не мог бо́льше плы́ть, глаза́ его́ бы́ли **закры́ты**. Руса́лочка взяла́ при́нца на ру́ки, подняла́ его́ го́лову **над водо́й**, и во́лны понесли́ их по мо́рю. До́лго плыла́ Руса́лочка с при́нцем. Ей бы́ло тру́дно, она́ о́чень уста́ла. Наконе́ц, она́ уви́дела бе́рег, си́ние го́ры и большо́й го́род на берегу́.

Бы́ло у́тро, бу́ря уже́ ко́нчилась. В после́дний раз посмотре́ла Руса́лочка в лицо́ ми́лого при́нца, поцелова́ла его́ закры́тые глаза́ и оста́вила его́ на берегу́ в ти́хом ме́сте. Она́ была́ так ра́да, что спасла́ жи́знь челове́ка.

Русалочка.
Скульптор Э. Эриксен.

Ско́ро на бе́рег пришли́ лю́ди. Они́ уви́дели при́нца, подня́ли его́ на ру́ки и понесли́ во дворе́ц. Бо́льше Руса́лочка ничего́ не ви́дела.

С тех пор Руса́лочка почти́ ка́ждый день возвраща́лась на то ме́сто, где оста́вила при́нца. Она́ сиде́ла на большо́м ка́мне и смотре́ла на го́род. Го́род был о́чень краси́вый, с ка́менными дворца́ми, па́рками и сада́ми. По бе́регу ходи́ли лю́ди, они́ носи́ли корзи́ны с ры́бой; бе́гали и игра́ли де́ти. А ве́чером там гуля́ли молоды́е лю́ди. Оди́н раз Руса́лочка уви́дела при́нца. Он шёл по бе́регу ря́дом с краси́вой де́вушкой. Они́ разгова́ривали и улыба́лись друг дру́гу.

О, как хоте́ла руса́лочка бы́ть там, на берегу́, ря́дом с прекра́сным при́нцем! Как хоте́ла она́ жи́ть в э́том го́роде, вме́сте с людьми́! Но она́ зна́ла, что э́то **невозмо́жно**, потому́ что она́ не уме́ла ходи́ть. Ей бы́ло о́чень гру́стно, и Руса́лочка начина́ла петь. Она́ пе́ла о свое́й любви́, о прекра́сном при́нце, о том, что никогда́-никогда́ они́ не бу́дут вме́сте.

Лю́ди на берегу́ слу́шали её не́жный го́лос. Они́ не понима́ли слов, потому́ что лю́ди не зна́ют языка́ руса́лок. Они́ ду́мали, что э́то шумя́т и пою́т во́лны. В э́тих пе́снях была́ и любо́вь, и гру́сть, и мечта́ о сча́стье.

С тех пор прошло́ 300 лет. Но и сейча́с в све́тлую лу́нную но́чь на мо́ре можно услы́шать гру́стную пе́сню руса́лочки. *Ведь* руса́лки живу́т о́чень до́лго.

(по Г.Х. Андерсену)

Задание 24.

Прослушайте предложения. Повторите те из них, которые соответствуют содержанию текста, и исправьте неверные.

1. Дворец морского царя стоял под водой на дне моря.
2. Рядом с дворцом летали птицы, большие и маленькие.
3. Морской царь жил во дворце со своими сёстрами-русалками.

4. У самой младшей русалочки был красивый нежный голос.
5. Когда Русалочка первый раз поднялась наверх, она увидела солнце, небо и большие корабли.
6. Молодой принц не понравился Русалочке.
7. Когда она смотрела на принца, у неё сладко болела голова.
8. Началась сильная буря, и корабль начал тонуть.
9. Русалочка решила спасти принца.
10. Русалочка поцеловала принца и оставила его в море.
11. Люди пришли на берег, они подняли принца и повели во дворец.
12. Русалочка пела грустные песни, потому что она никого не любила.

Задание 25.

Закончите предложения в соответствии с содержанием текста «Русалочка».

1. Морской царь жил **...** .
2. Русалочка не играла вместе с сёстрами, потому что **...** .
3. Бабушка рассказывала ей о **...** .
4. Первый раз Русалочка поднялась наверх, когда ей исполнилось **...** .
5. По морю плыли корабли, они везли **...** .
6. На море началась сильная буря, поэтому **...** .
7. Русалочка знала, что люди погибнут в море, потому что **...** .
8. Русалочка оставила **...** .
9. Русалочка сидела на большом камне и **...** .
10. Она пела о **...** .

Задание 26.

Найдите в тексте ответы на следующие вопросы.

1. Какой дворец и сад были у морского царя?
2. Почему можно сказать, что младшая дочь была милее всех?

3. Что увидела русалочка, когда первый раз поднялась наверх?
4. Что случилось во время бури?
5. Что видела Русалочка, когда смотрела на город?

Задание 27.

Поставьте 10 основных вопросов к тексту и ответьте на них.

Задание 28.

Прочитайте план текста. Дайте названия пропущенным частям плана.

1. Дворец морского царя.
2. ....
3. Рассказы старой бабушки.
4. Первая встреча Русалочки с миром людей.
5. Буря на море.
6. ....
7. Мечты Русалочки.
8. ....

Задание 29.

Расскажите текст по плану. Сократите текст, опуская информацию, которая не очень важна. В случае затруднения используйте следующие вопросы.

1. Где жил морской царь со своими дочерьми?
2. Что вы узнали о младшей русалочке?
3. Почему Русалочка хотела посмотреть на людей?

4. Что увидела Русалочка, когда первый раз поднялась наверх?
5. Какой праздник был на корабле?
6. Почему Русалочка долго плыла за кораблём?
7. Почему корабль начал тонуть?
8. Как Русалочка спасла принца?
9. Почему Русалочка каждый день смотрела на город?
10. Почему её песни были грустными? О чём она пела?

Задание 30.

Как вы думаете, что случилось потом с героями этой сказки?

Задание 31.

Посмотрите материал для наблюдения и постарайтесь понять способы образования императива (повелительного наклонения) в русском языке.

Материал для наблюдения

читать	чит**а-ю**	Чита**й**! Чита**йте**!
рисовать	рис**у-ю**	Рису**й**! Рису**йте**!
заниматься	заним**а-ю**сь	Занима**йся**! Занима**йтесь**!
говорить	гово**р-ю́**	Говор**и**! Говор**ите**!
учить	**уч-у́**	Уч**и**! Уч**ите**!
любить	люб**л-ю́**	Люб**и**! Люб**ите**!
учиться	**уч-у́**сь	Уч**и**сь! Уч**итесь**!
забыть	забу́**д-у**	Забуд**ь**! Забуд**ьте**!
исправить	испра́**вл-ю**	Исправ**ь**! Исправ**ьте**!
остаться	оста́**н-у**сь	Остан**ь**ся! Остан**ьтесь**!

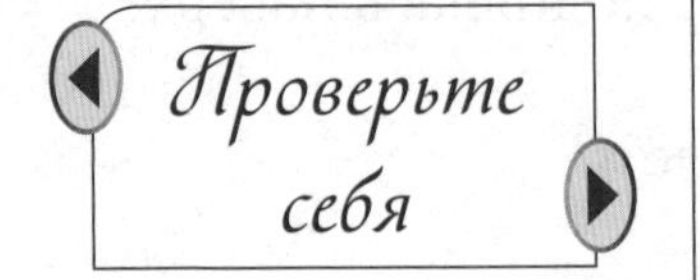

- Если в I лице ед. ч. перед окончанием глагола имеется гласный, то форма императива на **-й**:
  Чит**а**й! Чита**й**те!

- Если в I лице ед. ч. перед окончанием глагола имеется согласный, а ударение падает на окончание, то форма императива на **-и**:
  Уч**и**! Уч**и**те!

- Если в I лице ед. ч. перед окончанием глагола имеется согласный, а ударение падает на основу (не на окончание), то форма императива на **-ь**:
  Забуд**ь**! Забудьт**е**!

Задание 32.

Образуйте императив от следующих глаголов.

• Продолжать, повторять, защищать, выбирать, соединять, улыбаться, (не) ошибаться, попытаться, спасать, (не) волноваться;

• похвалить, повторить, включить, (не) кричать, просить, попросить, спросить, сказать, показать, рассказать, изменить, брать, взять, улыбнуться, искать, найти, (не) сердиться, (не) ошибиться, вернуться;

• поздравить, познакомить, приготовить, ответить, стать, поверить, встретить, познакомиться.

Задание 33.

Поставьте необходимый по смыслу императив, используя слова для справок.

Слова для справок: поздравить, включить, помочь, повторить, позвонить, волноваться, приготовить, познакомить.

- Я ничего не понял, **...** , пожалуйста.
- Человеку плохо, **...** по телефону «03»!
- Какая приятная девушка, **...** нас, пожалуйста!
- Виктор женился, **...** его!
- Мне удобно, не **...** .
- Пожар, пожар, **...** !
- Марта, сегодня у нас будут гости, **...** , пожалуйста, что-нибудь вкусное.
- Начался футбол, **...** телевизор!

Задание 34.

Посмотрите на материал для наблюдения и скажите, как передаётся просьба (совет, желание) в косвенной речи и после глагола **хотеть**.

Материал для наблюдения

Родители попросили сына
сказали
написали сыну: «Звони нам чаще!»

→ Родители попросили сына
сказали
написали сыну, **чтобы** сын звони**л** им чаще.

→ Родители **хотят**, **чтобы** сын звони**л** им чаще.

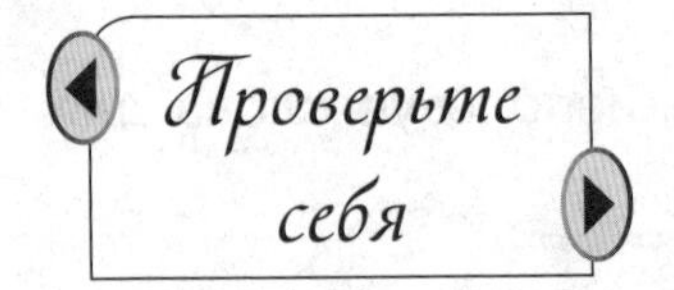

- Просьба (совет, желание) в косвенной (непрямой) речи* и после глагола **хотеть** передаётся с помощью специальной конструкции

  ..., **чтобы + I ф И. п. + глагол**

  в форме, совпадающей с формой прошедшего времени.

- Просьба (совет, желание) после глагола **хотеть** реализуется в данной конструкции, только если субъекты в обеих частях предложения — **разные** лица.

Сравните!

Сын хочет стать инженером (сын).

Отец хочет, **чтобы сын** стал инженером. (отец — сын)

Задание 35.

Подумайте и скажите, что хочет человек (преподаватель, родители, ученик, Анна), если:

- Анна сказала преподавателю: «Не сердитесь на меня, потому что я забыла тетрадь дома случайно».
- Даша сказала брату: «Не кричи на меня!»
- Преподаватель сказал студенту: «Продолжайте читать!»
- Сосед сказал другу: «Дай мне чайник!»
- Красивая девушка сказала родителям: «Подарите мне кольцо!»
- Отец сказал своему сыну: «Занимайся больше!»
- Дед Мороз сказал детям: «Пойте! Танцуйте! Улыбайтесь!»
- Секретарь сказал студентке: «Идите к декану!»

---

* Тема «Прямая и косвенная речь» представлена в учебном пособии «Наше время» (I сертификационный уровень).

Задание 36.

Покажите, что желания людей не всегда совпадают.

- Мать хочет, чтобы дочь стала переводчицей, а дочь хочет **...** .
- Отец хочет, чтобы старший сын работал на заводе, а старший сын хочет **...** .
- Родители хотят, чтобы дети приходили домой рано, а дети хотят **...** .
- Декан хочет, чтобы студенты занимались много, а студенты хотят **...** .
- Старшая сестра хочет, чтобы младшая сестра не танцевала каждый вечер на дискотеке, а младшая сестра хочет **...** .
- Дедушка хочет, чтобы внук спал весь день, а внук хочет **...** .
- Бабушка хочет, чтобы продавец дал ей красные розы, а продавец хочет **...** .
- Мы хотим, чтобы преподаватель отдыхал, а преподаватель хочет **...** .

Задание 37.

Скажите, что хотите вы (ваш брат, сестра, друг, подруга) и что хотят от вас (от них) родители, преподаватели, муж, жена.

Задание 38.

а) Посмотрите в словаре значения следующих слов:

дорога
север (*куда?* **на север**)
опасный
опытный
спутник
гражданин
тренироваться I
создавать I | *что?*
создать I | *что?*
международный

б) Прочитайте интернациональные слова и постарайтесь понять их значение. В случае затруднения посмотрите эти слова в словаре:

космос, космонавт, аэроклуб, ракета, планета, конструктор, герой.

в) Прочитайте слова и постарайтесь понять их значение без словаря:

парень = молодой человек.

Что (с)делать?	*Что?*	*Кто?*	*Какой?*
	космос космонавтика	космонавт	**космический**
летать I лететь II	**полёт**	лётчик	**лётный**
готовиться II подготовиться II	**подготовка**		подготовительный
тренироваться I	тренировка война	**тренер**	**тренировочный** **военный**

Задание 39.

Укажите слова, однокоренные с выделенным:

космос: космонавт, космический, костюм, космонавтика;
летать: лететь, лётный, летний, лётчик, лёд, полёт, самолёт;
тренироваться: тренер, третий, тренировка, тренировочный;
гражданин: гражданка, граждане, ждать, гражданский.

Задание 40.

Укажите слова, выпадающие из тематического ряда:

космонавт, лётчик, самолёт, конструктор, инженер, учёный;
Земля, Луна, планета, правительство;
тренироваться, заниматься, сердиться, готовиться;
ракета, корабль, спутник, гражданин, станция, лаборатория.

Задание 41.

Составьте возможные словосочетания:

опытный	врач успех лётчик	дорога	в космос в ошибку на север
создать	лабораторию ракету отметку	опасные	полёты космонавты дороги

Задание 42.

Назовите слова, которые заменяют выделенные.

Недалеко от Москвы находится город, **который** носит имя Гагарина. — «**Который**» значит «город».

1. В аэроклубе Юрий изучал профессию лётчика. **Ему** очень нравилось летать.
2. Стране нужны были талантливые и опытные лётчики, **которые** могли стать будущими космонавтами.
3. Ю.А. Гагарин — первый космонавт Земли. **Его** полёт продолжался 108 минут.
4. Первый космонавт писал в журнале, как он себя чувствует. **Это** особенно важно было знать врачам и учёным, потому что человек находился в космосе первый раз.
5. Тысячи москвичей вышли на улицы города, **по которым** ехала машина с первым космонавтом
6. Земля — это наш общий дом. Люди всего мира должны любить и защищать **её**.

Задание 43.

Объясните, как вы понимаете следующие предложения.

- Юрий Гагарин открыл дорогу в космос.
- Весь мир носил его на руках.

Задание 44.

Текст, который вы будете читать, рассказывает о Юрии Алексеевиче Гагарине. Что вы знаете об этом человеке?

Задание 45.

Прочитайте текст. Выберите одно или несколько предложений, в которых содержится самая важная информация текста.

Юрий Алексеевич Гагарин

Имя **космона́вта** Юрия Алексе́евича Гага́рина зна́ют лю́ди во всём ми́ре. Он был пе́рвым челове́ком, кото́рый откры́л лю́дям **доро́гу** в **ко́смос**. «Зна́ете, каки́м он **па́рнем** был? На рука́х весь мир его́ носи́л», — так пою́т о Гага́рине в пе́сне. Недалеко́ от Москвы́ нахо́дится го́род, кото́рый но́сит и́мя Гага́рина.

Юрий Гага́рин роди́лся в 1934 (ты́сяча девятьсо́т три́дцать четвёртом) году́ в ма́ленькой дере́вне недалеко́ от го́рода Гжа́тска (сейча́с э́тот го́род называ́ется Гага́рин). В 1941 (ты́сяча девятьсо́т со́рок пе́рвом) году́ Юрий поступи́л в шко́лу, но начала́сь война́*, и Юрий не смог учи́ться, потому́ что шко́лы не рабо́тали. То́лько по́сле войны́ он продо́лжил учёбу.

Ещё в де́тстве Юрий мечта́л стать лётчиком и лета́ть на больши́х самолётах, по́этому он на́чал занима́ться в **аэро́клубе**. Там Юрий познако́мился с профе́ссией лётчика и в пе́рвый раз подня́лся в во́здух на самолёте. Ему́ о́чень нра́вилось лета́ть.

---

* Великая Отечественная война 1941–1945 гг.

Ю.А. Гагарин

В 1955 (ты́сяча девятьсо́т пятьдеся́т пя́том) году́ Ю.А. Гага́рин поступи́л в **вое́нную лётную** шко́лу. По́сле оконча́ния лётной шко́лы он стал вое́нным лётчиком и пое́хал рабо́тать на **се́вер**. Рабо́та вое́нного лётчика была́ тру́дной, **опа́сной**, но интере́сной. Че́рез не́сколько лет Ю.А. Гага́рин стал **о́пытным** лётчиком: он лета́л на са́мых но́вых совреме́нных самолётах.

В то вре́мя бы́стро развива́лась но́вая нау́ка — *космона́втика*. Учёные, **констру́кторы**, инжене́ры **создава́ли косми́ческие раке́ты** и корабли́. В ко́смос полете́ли пе́рвые **спу́тники**. Лю́ди мечта́ли **о полётах** в ко́смос. Стране́ нужны́ бы́ли тала́нтливые и о́пытные лётчики, кото́рые могли́ ста́ть бу́дущими космона́втами.

В 1960 (ты́сяча девятьсо́т шестиде́сятом) году́ в Москве́ созда́ли *отря́д* (гру́ппу) бу́дущих космона́втов, Гага́рина то́же пригласи́ли в э́тот отря́д. Вме́сте с други́ми космона́втами Ю.А. Гага́рин мно́го рабо́тал: **тренирова́лся**, занима́лся спо́ртом, изуча́л фи́зику, биоло́гию и други́е нау́ки, слу́шал ле́кции, гото́вился к косми́ческим полётам. Учёба в отря́де была́ серьёзная: все понима́ли, что космона́вт до́лжен быть си́льным, здоро́вым, до́лжен уме́ть рабо́тать и голово́й, и рука́ми. Гага́рин бо́льше го́да гото́вился к полёту.

Двена́дцатого апре́ля 1961 (ты́сяча девятьсо́т шестьдеся́т пе́рвого) го́да в 9 часо́в 7 мину́т косми́ческий кора́бль «Восто́к»

полете́л в ко́смос. *На борту́* корабля́ находи́лся челове́к. Это был **граждани́н** Росси́и — Юрий Алексе́евич Гага́рин — пе́рвый космона́вт Земли́.

Его́ полёт продолжа́лся 108 мину́т. Во вре́мя полёта Ю.А. Гага́рин фотографи́ровал Зе́млю, расска́зывал по ра́дио о том, что он ви́дел в ко́смосе, *контроли́ровал* рабо́ту прибо́ров на корабле́, писа́л в журна́ле, как он себя́ чу́вствует. Это осо́бенно ва́жно бы́ло зна́ть врача́м и учёным, потому́ что челове́к нахо́дился в ко́смосе пе́рвый раз.

В 10 часо́в 55 мину́т косми́ческий кора́бль с пе́рвым космона́втом верну́лся на Зе́млю. Юрия Гага́рина встреча́ли как **геро́я**. Ты́сячи москвиче́й вы́шли на у́лицы го́рода, по кото́рым е́хала маши́на с пе́рвым космона́втом. Лю́ди несли́ фла́ги, плака́ты, цветы́. Это бы́л пра́здник всего́ наро́да.

Полёт Юрия Гага́рина дал отве́т на гла́вный вопро́с: лю́ди мо́гут лета́ть в ко́смос, челове́к мо́жет жи́ть и рабо́тать в ко́смосе.

Ты́сячи люде́й во всём ми́ре хоте́ли уви́деть пе́рвого космона́вта. Ю.А. Гага́рин е́здил в ра́зные города́ и стра́ны, *встреча́лся* с президе́нтами, мини́страми, учёными, рабо́чими, студе́нтами. Он расска́зывал им о косми́ческом полёте, о себе́, отвеча́л на вопро́сы. Ю.А. Гага́рин был пе́рвым челове́ком, кото́рый ви́дел на́шу **плане́ту** из ко́смоса. Он хоте́л, что́бы лю́ди всего́ ми́ра по́няли, что Земля́ — э́то наш о́бщий дом, и мы должны́ люби́ть и защища́ть её.

По́сле полёта Ю.А. Гага́рин рабо́тал в Це́нтре **подгото́вки** космона́втов. Он де́лал всё, что́бы бу́дущие космона́вты могли́ находи́ться в ко́смосе до́лгое вре́мя и бы́ли гото́вы к тру́дной рабо́те.

Юрий Гага́рин поги́б во вре́мя **трениро́вочного** полёта на самоле́те в 1968 (ты́сяча девятьсо́т шестьдеся́т восьмо́м) году́. Тогда́ ему́ бы́ло 34 го́да.

С тех пор прошло́ мно́го лет. В космона́втику пришли́ молоды́е тала́нтливые учёные. Они́ со́здали но́вые раке́ты и корабли́, косми́ческие ста́нции и лаборато́рии. Лю́ди бы́ли на Луне́, посла́ли косми́ческие раке́ты к далёким плане́там. В ко́смосе нахо́дится **междунаро́дная** косми́ческая ста́нция, где живу́т и рабо́тают космона́вты из ра́зных стран. Мы уже́ не по́мним имена́ всех космона́втов, но имя пе́рвого их них, Юрия Гага́рина, лю́ди не забу́дут никогда́. Ка́ждый год двена́дцатого апре́ля в Росси́и отмеча́ют пра́здник — Де́нь космона́втики.

Гла́вный констру́ктор косми́ческих корабле́й Серге́й Па́влович Королёв, кото́рый хорошо́ знал Гага́рина, сказа́л о нём так: «Юра бы́л настоя́щим ру́сским па́рнем — че́стным и откры́тым, сме́лым и тала́нтливым. Он о́чень люби́л люде́й».

Задание 46.

Прочитайте выбранные вами предложения. Поставьте 10 основных вопросов к тексту и ответьте на них.

Задание 47.

Прослушайте два варианта микротекста и повторите фразы, которыми они отличаются.

а) В 1955 году Ю.А. Гагарин поступил в военную лётную школу. После окончания лётной школы он стал военным лётчиком и поехал работать на север. Работа военного лётчика была трудной, опасной, но интересной.

В 1955 году Ю.А. Гагарин поступил в военную лётную школу. После окончания лётной школы он стал военным лётчиком. Работа военного лётчика была трудной, опасной, но интересной.

б) Полёт первого космонавта продолжался 108 минут. Во время полёта Ю.А. Гагарин фотографировал Землю, рассказывал по радио, что он видел в космосе, писал в журнале, как он себя чувствует.

12 апреля 1961 года Ю.А. Гагарин полетел в космос. Полёт первого космонавта продолжался 108 минут. Во время полёта Ю.А. Гагарин фотографировал Землю, рассказывал по радио, что он видел в космосе, писал в журнале, как он себя чувствует.

Задание 48.

Опираясь на вопросы (см. задание 46), расскажите о первом космонавте Ю.А. Гагарине.

1. Как вы думаете, почему люди во всем мире помнят и будут помнить его имя?
2. Почему первый полёт человека в космос был очень важным для людей всего мира?
3. Как вы думаете, каким должен быть космонавт?
4. Что вы знаете о современной космонавтике, о полётах в космос сегодня? Были ли в космосе граждане вашей страны? Расскажите об этом.
5. Как вы думаете, нужно ли человеку изучать космос, когда у нас на Земле так много проблем? Аргументируйте ваше мнение.

ЭТО ВЫ УЖЕ ЗНАЕТЕ

1 **а)** Слушайте преподавателя, читайте вопросы и отвечайте на них.

1. Вы ходите или ездите в институт? На чём?
2. Вы любите бегать? Быстро бегаете?
3. Вы бежите в институт, если опаздываете? А ваши друзья?
4. Что делает ваш друг, если он хочет быть первым **в очереди** в кафе во время перерыва?
5. Вы умеете плавать? Где вы учились плавать?
6. Что значит фраза: «этот молодой человек плавает, как рыба»?
7. Вы любите летать на самолёте? Не боитесь?
8. Что вы выбираете – лететь в Петербург на самолёте или ехать на поезде? Почему?
9. Что вы везёте, когда едете в другой город?
10. Что вы везли, когда летели в Россию? А ваши друзья? Они везли тёплые вещи? Почему?
11. Они везли словари, тетради, ручки, карандаши? Почему?
12. Кто (не) советовал им везти всё это? Почему?
13. Что несёт студент, когда идёт в институт? Что вы принесли сегодня? А ваша подруга?
14. Что вы приносили вчера? А ваши друзья?
15. Что несёт преподаватель русского языка, когда идёт в аудиторию? А преподаватель химии?
16. Что принёс преподаватель спорта в спортзал?

б) Измените предложения, используя глаголы **нести**, **принести**, **везти**, **вести**:

1. Дети идут с игрушками.
2. *Дежурный* должен пойти и взять ключ.
3. Родители пришли на день рождения дочери с розами.

4. Рабочие едут на машине с большим шкафом.
5. Я еду в общежитие с новым студентом.
6. Мы идём с новыми студентами в столовую.

2 Скажите, что хочет преподаватель, если он говорит:

- «Анна, напишите упражнение ещё раз!»
- «Виктор, решай задачу сам!»
- «Антон, не опаздывайте!»
- «Ира, идите к декану!»
- «Бинь, *ведите себя* хорошо!»
- «Лун, расскажите текст о Москве!»
- «Ребята, проверьте диктант ещё раз!»
- «Андрей, ищи ключи!»

Урок V

Речевые образцы	Русский князь Ю. Долгорукий основал Москву в 1147-**ом году**. 12-**ого** апрел**я** 1961-**ого** год**а** Ю. Гагарин полетел в космос. Я **интересуюсь** современн**ой** музык**ой**. Ученик пишет в тетради син**ей** ручк**ой**.
Грамматический материал	П. п., Р. п. времени; обобщение выражения времени в простом предложении (изученные случаи); Т. п. с глаголами ***интересоваться***, ***заниматься***, ***являться***; Т. п. инструмента.
Тексты	*«М.В. Ломоносов»* *«На современной политической карте мира мы видим 193 государства...»*

Задание 1.

Прочитайте предложения. Скажите, какие формы используются для обозначения года, месяца, числа.

Материал для наблюдения

- А.С. Пушкин родился в 1799–**ом** году. В 1703–**ом году** царь Пётр I основал Петербург.
- Новый учебный год в России начинается 1 (перв**ого**) сентябр**я**. В январ**е** кажд**ого** год**а** студенты сдают экзамены
- 12–**го** апрел**я** 1961–**го** год**а** Ю.А. Гагарин полетел в космос.

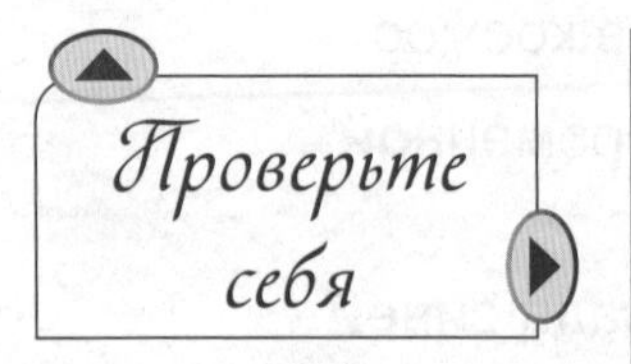

год: **в** + VI (П. п.) + году*
число, месяц: II (Р. п.) + II (Р. п.)
месяц, год: **в** + VI (П. п.) + II (Р. п.)
число, месяц, год: II (Р. п.) + II (Р. п.) + II (Р. п.)

- Месяц, год: **в** + VI (П. п.):
  в этом месяце, в следующем сентябре, в прошлом году, в будущем (новом) веке.
- Число, месяц: II (Р. П.) + II (Р. п.);
  число, месяц, год: II (Р. п.)+ II (Р. п.) + II (Р. п.);
  месяц, год: **в** + VI (П. п.) + II (Р. п.)
  10-го августа, 1-го января будущего года, в октябре этого года.

* Обратите внимание, что П. п. имеет форму с окончанием **-у** (для существительных) как исключение: в лес**у**, на берег**у**, в сад**у**, в ... год**у**. Можно добавить: в (на) шкаф**у**, в (на) угл**у**, на мост**у**.

- День недели: **в** + IV (В. п.)
  в следующую среду, в прошлую субботу, в этот вторник.
- Неделя: **на** + VI (П. п.)
  на этой неделе, на будущей неделе.
- Через ≠ назад: IV (В. п.):
  год назад, через месяц, через неделю, неделю назад.

Обратите внимание

век: **в** + VI (П. п.)
в двадцатом веке

Задание 2.

а) Прочитайте текст, найдите выражения времени и объясните их формы. Дайте название тексту.

Новые слова: путеше́ственник, гео́граф, откры́ть.

Изве́стный ру́сский **путеше́ственник** и **гео́граф** Семён Ива́нович Челю́скин роди́лся в 1704* году́ в Москве́. Осенью 1714 го́да он поступи́л в Шко́лу математи́ческих и *морехо́дных* нау́к, че́рез 7 лет око́нчил её и *служи́л* на Балти́йском мо́ре. Но С.И. Челю́скин хоте́л изуча́ть моря́ и зе́мли се́вера Росси́и.

5 декабря́ 1741 го́да начало́сь е́го *знамени́тое путеше́ствие* на се́вер. Ехали на соба́ках, моро́з был -50° (гра́дусов).

* Точное место и дата рождения С.И. Челюскина не установлены. Предположительно это 1700–1707 гг.

6 мáя 1742 гóда С.И. Челю́скин **откры́л** сáмую сéверную тóчку *Еврáзии*, котóрая сейчáс называ́ется мыс Челю́скина. Экспеди́ция закóнчилась в ию́ле 1742 гóда.

Имя Челю́скина стáло *бессмéртным*.

б) Скажите, почему имя Челюскина стало бессмертным.

Задание 3.
Используя справочный материал, прочитайте правильно предложения.

- Большой театр основали в XVIII в., точнее — в марте 1776 г.
- Новое здание Большого театра открыли 20 авг. 1856 г.
- В 2026 г. Большому театру исполнится 250 лет.
- 12 апр. 1961 г. первый космонавт Земли Ю.А. Гагарин полетел в космос.
- Москву основали в 1147 г.
- Русская земля *приняла христианство* в 988 г.
- Великая Отечественная война закончилась нашей **победой** 9 мая 1945 г.

Материал для наблюдения

Обратите внимание, как можно ответить на вопрос «сколько сейчас времени»:

- 9 ч. 5 мин. → 9 часов 5 минут → 5 минут **десятого**
- 9 ч. 15 мин. → 9 часов 15 минут → 15 минут **десятого** → **четверть десятого**
- 9 ч. 30 мин. → 9 часов 30 минут → **половина десятого** → **полдесятого**
- 9 ч. 35 мин. → 9 часов 35 минут → **без** двадцат**и** пят**и** десять
- 9 ч. 45 мин. → 9 часов 45 минут → **без** пятнадцат**и** десять → **без** четверт**и** десять

Задание 4.

Используя «Материал для наблюдения», скажите, **сколько сейчас времени**. Употребите новые конструкции.

7 ч. 40 мин.; 1 ч. 30 мин.; 3 ч. 50 мин.; 5 ч. 5 мин.; 4 ч. 15 мин.; 4 ч. 45 мин.; 2 ч. 55 мин.; 6 ч. 46 мин.; 8 ч. 48 мин.; 9 ч. 58 мин.; 10 ч. 59 мин.; 11 ч. 27 мин.; 12 ч. 30 мин.

Задание 5.

Прочитайте предложения и скажите, какая грамматическая форма используется с глаголами **заниматься**, **интересоваться**, **являться**.

- Д.И. Менделеев **занимался** химией.
- И.П. Кулибин **интересовался** механикой.
- Москва **является** столицей России.

Глаголы **заниматься**, **интересоваться**, **являться** используются с V ф (Т. п.) (вопросы *кем? чем?*).

Обратите внимание, что глагол **являться** характерен для языка науки.

Задание 6.

а) Прочитайте текст, найдите предложения с глаголами **интересоваться**, **заниматься**, **являться**.

Новые слова: изобрета́тель, весы́.

Ива́н Петро́вич Кули́бин (1735–1818) — тала́нтливый ру́сский **изобрета́тель**-*самоу́чка*. Уже́ в де́тстве И.П. Кули́бин интересова́лся меха́никой. Осо́бенно он интересова́лся часа́ми. В 1764 году́ И.П. Кули́бин сде́лал необы́чные *карма́нные* часы́ с му́зыкой и ма́леньким теа́тром внутри́. Эти часы́ явля́ются *уника́льными* и сейча́с нахо́дятся в музе́е Эрмита́ж.

И.П. Кули́бин занима́лся фи́зикой и матема́тикой, со́здал то́чные **весы́**, «механи́ческие но́ги» — проте́зы, построи́л ли́фт. К сожале́нию, в XVIII ве́ке его́ *изобрете́ния* не бы́ли ну́жны и поня́тны.

б) Как вы думаете, почему И.П. Кулибина можно назвать талантливым изобретателем?

Задание 7.

Согласитесь с утверждениями.

а) Виктор любит математику. — Да, он интересуется математикой.

- Анна любит современную музыку.
- Джону нравится древнерусская архитектура.
- Ахмеду не нравится химия.
- Антон часто читает научные статьи.
- Иностранцам нравятся московские памятники архитектуры.
- Туристам нравятся прекрасные соборы и дворцы.
- Девушка любит стихи.
- Моему другу нравится политика.

б) Виктор изучает физику. — Да, Виктор занимается физикой.

- С.И. Челюскин изучал мореходное дело.
- Студент изучает иностранные языки.
- Юра делает задание по *высшей* математике.
- Саша изучает английский язык.
- И.П. Кулибин *самостоятельно* изучал физику и математику.
- Учёные изучают древнюю культуру Китая.
- Марина изучает европейскую историю.

Задание 8.

Замените, где возможно, конструкцию

что? — *(это)* **кто?**, **что?** — *(это)* **кто?**

на конструкцию

кто? (**что?**) *является* **кем?** (**чем?**).

Напоминаем, что глагол **являться** характерен для научного стиля речи.

- Новгород — важный промышленный центр.
- Япония — одна из самых *развитых* стран мира.
- Марат — студент.
- Россия — богатая страна.
- Эта шутка — несмешная.
- Стены и башни Кремля древние.
- Президент — руководитель государства.
- Клин, где родился композитор П.И. Чайковский, небольшой и тихий город.

Задание 9.

Ответьте на вопросы, используя глагол **являться**.

- МГУ — государственный университет?
- Школа «Премьер» — частная школа?
- Дели — культурный центр Индии?
- Пекин — древняя и современная столица Китая?
- Ньютон был великим учёным?
- *Терроризм* — общая проблема разных народов?
- Горы *Гималаи* — самые высокие горы в мире?
- Река Волга — самая длинная река в Европе?

Задание 10.

Прочитайте предложения и постарайтесь понять новое значение формы V Т. п.

Материал для наблюдения

Студент пишет упражнение син**ей** ручк**ой**, а преподаватель исправляет ошибки красн**ым** карандаш**ом**.

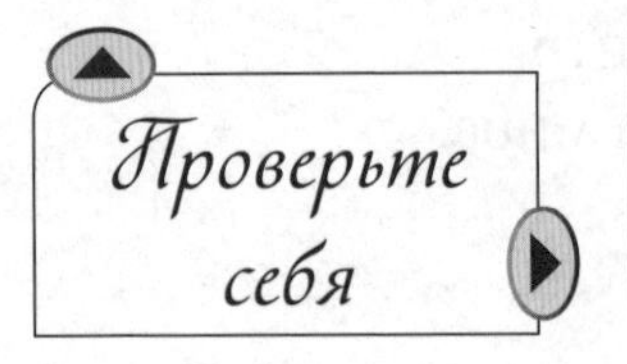

Для обозначения инструмента действия используется форма V (Т. п.) без предлога **с**.

Задание 11.

Вставьте, где необходимо, предлог **с**.

1. Турист хочет видеть всё **...** своими глазами.
2. Махмуд любит мясо **...** рисом.
3. Мы едим суп **...** мясом **...** ложкой.
4. Анна занимается **...** физикой **...** подругой.
5. Японцы едят рис **...** *палочками*, а европейцы едят его **...** вилкой.
6. Дайте мне кофе **...** молоком и **...** сахаром.
7. Преподаватель пишет на доске **...** мелом.
8. Космонавт должен уметь работать **...** головой и руками.

Задание 12.

а) Посмотрите значения новых слов и словосочетаний в словаре:

рыбак
крестьянин, крестьяне
образование (учёба)
уйти *откуда?*
пр. вр.: **ушёл, ушла, ушли**

тайно *как?*
желание
делать I | открытие
сделать II | открытие
закон

б) Прочитайте интернациональные слова, постарайтесь понять их значение. В случае затруднения посмотрите слова в словаре:

академия, арифметика, астрономия, филология.

в) Прочитайте и постарайтесь понять выделенные слова и словосочетания самостоятельно:

самостоятельно = сам
голодать I = ничего не есть; есть очень мало
точные науки: математика, механика
горное дело ≈ геология
твёрдый характер = сильный характер
блестящие способности = прекрасные способности
сделать открытие = **открыть** *что?*

Что?	*Кто?*	*Что (с)делать?*
академия	**академик**	
астрономия	**астроном**	
филология	**филолог**	
	жена	**жениться**
поэма	поэт	
	переводчик	**переводить** II **перевести** I *что?* (переведу, переведёшь, переведут; пр. вр.: перевёл, перевела, перевели)

Задание 13.

Выберите слова, имеющие одинаковый корень с выделенным:

рыбак: рыба, рыбный, рынок, рыбка, рыбаки;
крестьянин: крестьянка, крестьяне, крестьянский, крепость;
интересоваться: интерес, интересный, интернациональный, интересно;
переводить: вода, переводчик, перевод, перевести.

Задание 14.

Выберите слово, общее для перечисленных:

физика, химия, астрономия, наука, география, математика, история, филология;

химик, математик, учёный, филолог, астроном, историк, физик.

Задание 15.

Составьте возможные словосочетания:

открыть	закон дверь учёбу	переводить	стихи образование книгу
основать	город университет перевод	создать	прибор желание лабораторию

Задание 16.

Укажите слова, выпадающие из тематического ряда:

начать, пойти, поступить, переводить;
основать, создать, защитить, построить;
прибор, закон, автомобиль, самолёт.

Задание 17.

Образуйте отглагольные существительные.

создать новый прибор → **создание** нового прибора

- открыть общий закон
- изучать *высшую* математику
- продолжать нужные реформы
- переводить трудные тексты
- окончить московский университет

Задание 18.

а) Дополните таблицу.

Наука	Профессия	Факультет
химия	химик	химический
...	физик	...
математика	...	...
...	астроном	...
...	...	исторический
...	географ	...
механика	...	...

б) Скажите, на каком факультете учатся будущие историки, геологи, филологи? Что изучают студенты на химическом, географическом, физическом факультете?

Задание 19.

Объясните, как вы понимаете фразу:

У Ломоносова был твёрдый характер и большое желание учиться.

Задание 20.

Текст, который вы сейчас будете читать, называется «Михаил Васильевич Ломоносов». Вы когда-нибудь слышали это имя? Как вы думаете, что вы узнаете из этого текста?

Михаил Васильевич Ломоносов

Михаи́л Васи́льевич Ломоно́сов был пе́рвым вели́ким ру́сским учёным. Он роди́лся в 1711 году́ на се́вере Росси́и, в ма́ленькой дере́вне на берегу́ Бе́лого мо́ря. Его́ оте́ц был **рыба́ком**. Его́ ма́ть умерла́, когда́ ма́льчику бы́ло то́лько 9 лет. Де́тство Ломоно́сова бы́ло тру́дным, Михаи́л ра́но на́чал помога́ть отцу́. Ма́льчик о́чень

М.В. Ломоносов

хоте́л учи́ться. Но в то вре́мя сын *просто́го* рыбака́ и́ли **крестья́нина** не мог получи́ть **образова́ние**. В дере́вне, где он жил, не бы́ло шко́лы. Ломоно́сов учи́лся чита́ть и писа́ть **самостоя́тельно**. Сосе́д подари́л ему́ две кни́ги, и Ломоно́сов сам на́чал изуча́ть грамма́тику и **арифме́тику**. Но ю́ноша хоте́л зна́ть бо́льше.

Когда́ Ломоно́сову испо́лнилось 19 лет, он реши́л пое́хать в Москву́ учи́ться. Оте́ц не хоте́л да́же слы́шать об учёбе. Он хоте́л, что́бы сын продолжа́л де́ло отца́, стал рыбако́м, **жени́лся** и жил в родно́й дере́вне. Тогда́ Ломоно́сов **та́йно** ушёл из до́ма.

Была́ зима́. У Михаи́ла не бы́ло де́нег и тёплой оде́жды, но у него́ был **твёрдый** хара́ктер и большо́е **жела́ние** учи́ться. И Ломоно́сов пошёл в Москву́ пешко́м. Доро́га была́ до́лгая и тру́дная. Бо́льше ме́сяца он шёл вме́сте с рыбака́ми, кото́рые везли́ в Москву́ ры́бу с Бе́лого мо́ря.

В Москве́ Ломоно́сов поступи́л в Славя́но-гре́ко-лати́нскую **акаде́мию** (в шко́лу), потому́ что не сказа́л, что он сын рыбака́. Девятнадцатиле́тний ю́ноша на́чал учи́ться в пе́рвом кла́ссе вме́сте с ма́ленькими ма́льчиками. Шко́льники смея́лись над ним. Жи́знь в акаде́мии была́ нелёгкой. Оте́ц не хоте́л помога́ть своему́ сы́ну, и ю́ноша ча́сто **голода́л**: иногда́ у него́ не бы́ло да́же хле́ба. Он ходи́л в ста́рой и бе́дной оде́жде, жил в ма́ленькой дешёвой ко́мнате, но э́то для него́ бы́ло не гла́вным. Тепе́рь Михаи́л мог учи́ться, и никаки́е *тру́дности* не могли́ помеша́ть ему́.

Учи́лся Ломоно́сов прекра́сно. У него́ бы́ли **блестя́щие** спосо́бности. За оди́н год он изучи́л програ́мму четырёх кла́ссов, а ещё че́рез 3 го́да око́нчил акаде́мию. По́сле оконча́ния Моско́вской акаде́мии Ломоно́сов продолжа́л образова́ние в Ки́еве и в Петербу́рге. Он серьёзно интересова́лся хи́мией, матема́тикой, **астроно́мией**.

В 1736 году́ вме́сте с други́ми лу́чшими студе́нтами его́ посла́ли учи́ться в университе́т в Герма́нию, потому́ что тогда́ в Росси́и не бы́ло университе́тов. В Герма́нии Ломоно́сов занима́лся фи́зикой, хи́мией, **меха́никой**, изуча́л **го́рное де́ло**. Че́рез 5 лет он око́нчил университе́т, верну́лся на ро́дину и на́чал рабо́тать в Акаде́мии нау́к в Петербу́рге. В то вре́мя в Росси́йской Акаде́мии нау́к рабо́тали то́лько иностра́нные учёные, и Ломоно́сов стал пе́рвым ру́сским учёным-**акаде́миком**.

Ломоно́сов интересова́лся ра́зными нау́ками: он был хи́миком, фи́зиком, матема́тиком, **астроно́мом**, гео́логом, исто́риком, **фило́логом**. Ему́ бы́ло интере́сно всё. Он **откры́л** ва́жные **зако́ны** хи́мии и фи́зики, **сде́лал откры́тия** в астроно́мии и геогра́фии, в го́рном и *морехо́дном* де́ле. Он созда́л пе́рвую в Росси́и хими́ческую лаборато́рию.

Ломоно́сов занима́лся не то́лько *то́чными* нау́ками, он был изве́стным поэ́том, писа́л стихи́ и **поэ́мы**, зна́л не́сколько иностра́нных языко́в и **перевёл** на ру́сский язы́к мно́го книг. Он явля́ется созда́телем пе́рвой нау́чной грамма́тики ру́сского языка́.

Как ка́ждый большо́й учёный, Ломоно́сов мечта́л, что́бы нау́ки развива́лись и что́бы ка́ждый челове́к в Росси́и мог получи́ть образова́ние. В 1755 году́ он основа́л в Москве́ пе́рвый росси́йский университе́т, кото́рый стал це́нтром нау́ки в Росси́и. В э́том университе́те учи́лись мно́гие ру́сские учёные, писа́тели, поэ́ты.

Снача́ла в университе́те бы́ло то́лько 3 факульте́та, 30 студе́нтов и 10 преподава́телей. Сейча́с Моско́вский госуда́рственный университе́т са́мый большо́й в Росси́и. В МГУ 41 факульте́т*. Там у́чатся 40 ты́сяч студе́нтов, в том числе́ 5 ты́сяч студе́нтов-иностра́нцев, и рабо́тают бо́лее чем 10 ты́сяч специали́стов. Этот университе́т *но́сит и́мя* своего́ основа́теля — ве́ликого ру́сского учёного М.В. Ломоно́сова.

Гла́вный пра́здник в МГУ — Татья́нин Де́нь**, пото́му что в э́тот де́нь 12 (25)*** января́ 1755 го́да университе́т на́чал свою́ рабо́ту. А сейча́с 25 января́, де́нь рожде́ния университе́та, — пра́здник все́х студе́нтов Росси́и.

Задание 21.

Ответьте на вопросы к тексту.

1. Кем был М.В. Ломоносов?
2. Когда и где он родился?
3. Почему можно сказать, что его детство было трудным?
4. Как Ломоносов учился читать и писать?
5. Почему юноша пошёл пешком в Москву?
6. Куда он поступил учиться в Москве?
7. Где Ломоносов продолжал образование?
8. Почему его послали учиться в Германию?
9. Чем интересовался Ломоносов?
10. Какие науки он изучал в Германии?
11. Где работал Ломоносов, когда он вернулся в Россию?
12. Чем он занимался на родине?
13. Какой университет основал Ломоносов?
14. Что вы узнали об МГУ?

---

* Кроме того, в состав МГУ входят 15 научно-исследовательских институтов.

** Татьянин день – день Святой мученицы Татьяны.

***25 января по новому стилю.

Задание 22.

Закончите предложения в соответствии с содержанием текста.

1. Ломоносов учился читать и писать самостоятельно, потому что **...** .
2. Ломоносов был сыном рыбака, поэтому **...** .
3. Юноша тайно ушёл из дома, потому что **...** .
4. В Москве Ломоносов поступил в академию, потому что **...** .
5. У Ломоносова были блестящие способности, поэтому **...** .
6. Жизнь Ломоносова в Москве была трудной, потому что **...** .
7. Ломоносов продолжал образование в Германии, потому что **...** .
8. Московский государственный университет носит имя Ломоносова, потому что **...** .

Задание 23.

Скажите по-другому.

- У Ломоносова было большое **желание учиться**.
- **После окончания** московской академии он **продолжал образование** в Киеве и в Петербурге.
- В 1736 году **его послали** учиться в Германию.
- Ломоносов **интересовался** химией, физикой, астрономией.
- Он **создал** первую химическую лабораторию в России.
- Он **изучал** точные науки.
- Ломоносов **является создателем** первой научной грамматики русского языка.
- Ломоносов **был основателем** первого российского университета. Сейчас этот университет **носит имя** М.В. Ломоносова.

Задание 24.

Образуйте от данных глаголов существительные:

а) которые называют человека и отвечают на вопрос *кто?*

Образец

преподавать → **преподаватель**
писать → ...
основать → ...
создать → ...
учить → ...
мечтать → ...
читать → ...

б) которые обозначают процесс и отвечают на вопрос *что?*

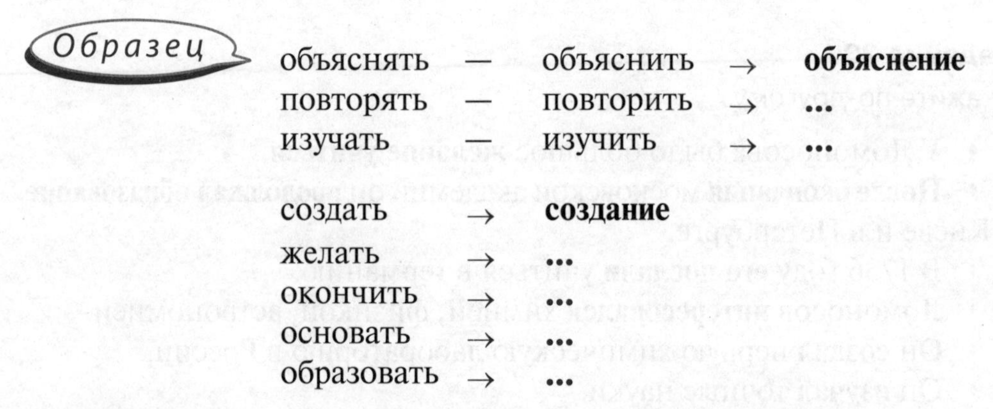

Образец

объяснять — объяснить → **объяснение**
повторять — повторить → ...
изучать — изучить → ...

создать → **создание**
желать → ...
окончить → ...
основать → ...
образовать → ...

Задание 25.

а) Назовите глаголы, от которых образованы существительные:

открытие, занятие, мечта, защита, помощь, женитьба, учёба, перевод.

б) Назовите существительные, от которых образованы названия профессий:

химик, математик, геолог, географ, филолог, астроном, историк, механик.

в) Подберите существительные, с которыми могут сочетаться данные прилагательные:

способный, великий, известный, важный, прекрасный, блестящий.

Задание 26.

Постройте предложения из данных слов.

- Мальчик, талантливый, академия, в, поступить.
- Поэт, много, перевести, книги, язык, русский, на.
- Учёный, интересоваться, математика, физика, астрономия, известный.
- Инженеры, развиваться, науки, технические, чтобы, хотеть.
- Университет, Ломоносов, основатель, являться, первый, российский.
- Студенты, открытие, МГУ, день, отмечать, 25 января.

Задание 27.

Прочитайте план текста. Дайте название пропущенным частям плана.

I. Трудное детство Ломоносова.

II. Годы учёбы:
   1) самостоятельные занятия в деревне;
   2) учёба в Славяно-греко-латинской академии;
   3) ... ;
   4) ... .

III. Работа М.В. Ломоносова в России, его открытия.

IV. Создание первого российского университета:
   1) ... ;
   2) ... .

V. ... .

Задание 28.

Прочитайте части текста и найдите в них главные предложения.

а) М.В. Ломоносов был великим русским учёным. Он сделал важные открытия в физике и химии, в астрономии и географии. Он был историком и поэтом, написал первую научную грамматику русского языка.

б) Раньше в России не было университетов. Талантливых российских юношей посылали учиться в Европу. Первый российский университет открыли в январе 1755 года.

Задание 29.

Великий русский поэт А.С. Пушкин так писал о Ломоносове:

«Он создал первый университет. Но лучше сказать, он сам был первым нашим университетом».

Как вы понимаете эти слова?

Задание 30.

а) Опираясь на план (см. задание 27) и вопросы (см. задание 21), расскажите о великом русском учёном М.В. Ломоносове.

б) Расскажите об известном учёном (писателе, артисте) вашей страны.

Задание 31.

а) Посмотрите значение следующих слов в словаре:

население	**граница**	
татарин (татары)	**занимать** I	*что?* площадь
башкир(-ы)	**занять** I	
якут(-ы)	**обычай**	
еврей(-и)	**уважение**	
чеченец(-нцы)	**взрослый** (человек)	
запад (*где?* **на западе**)	**украшать** I	*что?*
юг (*где?* **на юге**)	**украсить** II	
восток (*где?* **на востоке**)	**ёлка**	

б) Постарайтесь понять значение интернациональных слов. В случае затруднения посмотрите слова в словаре:

демократический, республика (федеративная республика), территория, климат, традиция, процент, календарь.

в) Постарайтесь понять значение выделенных слов самостоятельно.

Что?	*Кто?*	*Какой?*
длина		длинный
	внук (он) — **внучка** (она)	
	глава (государства)	главный

крупный ≈ большой
огромный ≈ очень большой

г) Посмотрите на карту России. Определите, где север, юг, запад, восток. Покажите, где находится: Дальний Восток, Сибирь, озеро Байкал; реки: Волга, Лена, Енисей; города: Москва, Санкт-Петербург, Казань, Новосибирск, Сочи.

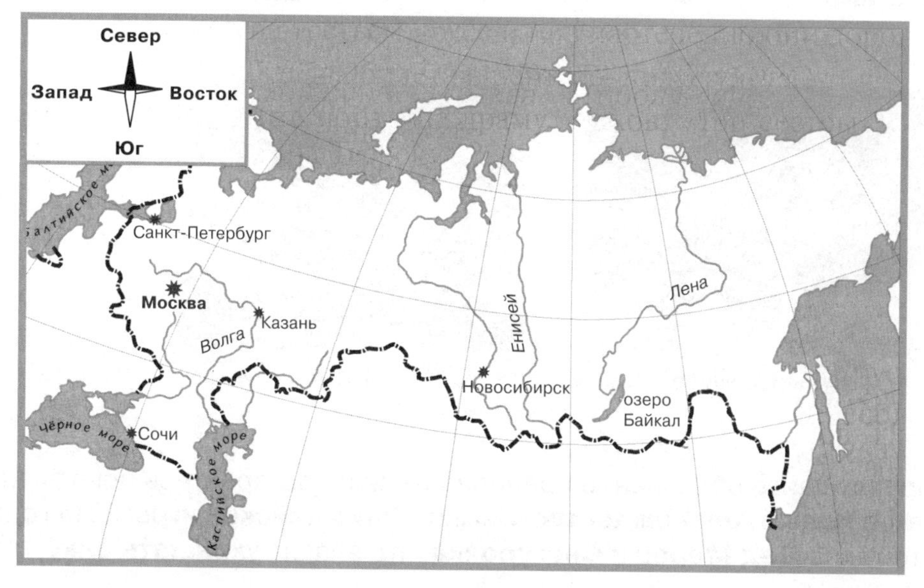

д) Посмотрите на картинки. Знаете ли вы этих животных? Назовите их.

Белый медведь

Заяц

Волк

Лиса

Бурый медведь

Тигр

е) Прослушайте объяснение преподавателя и постарайтесь понять, что такое **Новый год**, **Рождество**, Зимние **Олимпийские игры** 2014 года, кто такие **Дед Мороз** и **Снегурочка**, что значит **украшать ёлку**.

Задание 32.

а) Укажите слова, близкие по значению:

крупный	построить
устраивать	площадь
создать	большой
территория	делать
традиция	люди
население	обычай

б) Укажите слова, далёкие по значению:

огромный	южный
западный	маленький
северный	ребёнок
взрослый	восточный

Задание 33.

Укажите слова, выпадающие из тематического ряда:

отец, мать, внук, внучка, Дед Мороз, дедушка;
волк, медведь, тигр, календарь, заяц, лиса;
север, юг, запад, градус, восток;
море, река, озеро, лес, население, гора;
длинный, высокий, глубокий, большой, голубой;
татары, чеченцы, якуты, русалки, евреи.

Задание 34.

Укажите слова, однокоренные с выделенным:

занимать: заниматься, мать, занятие, занят;

уважение: уважать, уважаемый, важный, дважды;

украшать: украсить, украшение, красивый, прекрасный, красота, расти, красный;

обычай: чай, обычный, обычно, быть.

Задание 35.

Составьте словосочетания:

украшать	город ёлку градус	устроить	праздник восток концерт
демократические	государства законы волки	крупный	запад завод тигр

Задание 36.

Прочитайте текст и дайте ему название.

....

На совреме́нной полити́ческой ка́рте ми́ра мы ви́дим 194 госуда́рства. Росси́я — са́мая больша́я страна́ в ми́ре. Её пло́щадь *составля́ет* 17 миллио́нов км² (квадра́тных киломе́тров). Росси́я име́ет **грани́цы** с 16 (шестна́дцатью) госуда́рствами. Общая **длина́** грани́ц — 60000 киломе́тров. Это са́мая дли́нная грани́ца в ми́ре.

В Росси́и живёт 146 миллио́нов челове́к, э́то 180 ра́зных наро́дов. 79% (**проце́нтов**) **населе́ния** явля́ются ру́сскими, 21% — **тата́ры**, **башки́ры**, **евре́и**, **яку́ты**, **чече́нцы** и други́е. Госуда́рственный язы́к Росси́и — ру́сский.

Бо́льшая ча́сть населе́ния на́шей страны́ (73%) живёт в города́х. Столи́цей Росси́и явля́ется Москва́ — са́мый **кру́пный** го́род в стране́. В Москве́ живёт 12 миллио́нов челове́к. В на́шей стране́ е́сть ещё 14 городо́в, где живёт бо́льше миллио́на челове́к: э́то Са́нкт-Петербу́рг, Новосиби́рск, Ни́жний Но́вгород, Каза́нь и други́е.

Росси́я — **федерати́вная демократи́ческая респу́блика**. **Главо́й** госуда́рства явля́ется президе́нт Росси́и, его́ выбира́ют на 6 лет. Парла́мент, президе́нт и прави́тельство Росси́и рабо́тают в Москве́.

Росси́я — **огро́мная** страна́. Она́ нахо́дится в Евро́пе и в Азии. Это зна́чит, когда́ на **Да́льнем Восто́ке** у́тро и лю́ди иду́т на рабо́ту, в Москве́ и в Петербу́рге ве́чер, и жи́тели *ложа́тся* спа́ть.

Приро́да в Росси́и необы́чная и о́чень ра́зная. Зде́сь е́сть высо́кие го́ры, огро́мные леса́ и бы́стрые ре́ки. В Росси́и 120 ты́сяч рек и почти́ 2 миллио́на озёр. Зде́сь нахо́дится са́мое **глубо́кое** о́зеро в ми́ре — Байка́л. Ча́сть са́мых больши́х рек ми́ра то́же нахо́дится в Росси́и: Во́лга, Ле́на, Енисе́й. 40% **террито́рии** страны́ **занима́ют** леса́. Са́мые больши́е леса́ нахо́дятся в Сиби́ри. В росси́йских леса́х живу́т ра́зные живо́тные и пти́цы: в центра́льной ча́сти Росси́и живу́т **медве́ди**, **во́лки**, **ли́сы**, **за́йцы**, на восто́ке в Сиби́ри мо́жно встре́тить **ти́гров**, а на се́вере — бе́лых медве́дей.

Кли́мат в Росси́и то́же ра́зный на **юге** и на севе́ре, на **за́паде** и на **восто́ке** страны́. Наприме́р, зи́мой в го́роде Со́чи — столи́це **Зи́мних Олимпи́йских игр** 2014 го́да — сре́дняя температу́ра +6° (гра́дусов), а в э́то вре́мя в Сиби́ри обы́чная температу́ра января́ −40° −50° (гра́дусов). В Яку́тии нахо́дится са́мое холо́дное ме́сто в ми́ре: там в январе́ сре́дняя температу́ра −61° (гра́дус).

Росси́я — дре́вняя и интере́сная страна́. Сейча́с в Росси́ю приезжа́ют ты́сячи тури́стов из ра́зных стра́н, они́ хотя́т бли́же познако́миться с её бога́той культу́рой, исто́рией, **тради́циями**, уви́деть красоту́ ру́сской приро́ды, побыва́ть в стари́нных ру́сских города́х. Дороги́х госте́й в Росси́и встреча́ют *хле́бом-со́лью*. Это о́чень дре́вний ру́сский **обы́чай**: хлеб — э́то гла́вный проду́кт, кото́рый ну́жен был для жи́зни в ста́рое вре́мя. Да и сейча́с в ка́ждой ру́сской семье́ на столе́ всегда́ е́сть хлеб. «Хлеб — всему́ голова́», — говоря́т ру́сские лю́ди. Хлеб и со́ль несу́т на бе́лом *полоте́нце* и даю́т го́стю. Так ру́сские лю́ди пока́зывают своё **уваже́ние** к гостя́м. В Росси́и о́чень мно́го интере́сных обы́чаев, тради́ций, пра́здников.

Са́мым люби́мым пра́здником де́тей и **взро́слых** в Росси́и явля́ется новогóдний пра́здник, мы отмеча́ем его́ 1 января́. В ка́ждом до́ме **украша́ют ёлку**, все поздравля́ют друг дру́га. По тради́ции Но́вый год — э́то *семе́йный* пра́здник. Обы́чно вся семья́ собира́ется за пра́здничным столо́м. В э́тот де́нь лю́ди забыва́ют о свои́х пробле́мах и стро́ят но́вые пла́ны. В новогóдние дни прохо́дят весёлые де́тские пра́здники в теа́трах, ци́рках, шко́лах, в па́рках и на площадя́х. Де́душка Моро́з (ру́сский Са́нта-Кла́ус) и его́ вну́чка Снегу́рочка да́рят де́тям пода́рки.

Рождество́ в Росси́и отмеча́ют 7 января́, по но́вому **календарю́**. Ра́ньше, до 1918 го́да, в Росси́и был друго́й, ста́рый календа́рь, и Рождество́ отмеча́ли 25 декабря́, а Но́вый год че́рез неде́лю, 1 января́. В 1918 году́ календа́рь в Росси́и измени́лся, но тради́ция оста́лась. Поэ́тому в Росси́и новогóдний пра́здник отмеча́ют два́жды: 1 января́, как во мно́гих стра́нах, и 14 января́ по ста́рому календа́рю. Коне́чно, э́то пра́здник не официа́льный и *не совсе́м* серьёзный. И то́лько в Росси́и вы мо́жете услы́шать тако́е необы́чное назва́ние пра́здника: «ста́рый Но́вый год».

Росси́йская культу́ра о́чень бога́та, интере́сна и необы́чна. Лю́ди в Росси́и откры́тые и *доброжела́тельные*. Они́ с удово́льствием расска́жут и пока́жут вам мно́го интере́сного. Ча́ще встреча́йтесь с ни́ми, разгова́ривайте, задава́йте вопро́сы, чита́йте кни́ги о Росси́и, смотри́те фи́льмы, ходи́те на экску́рсии и в го́сти. Интересу́йтесь Росси́ей, её исто́рией, её культу́рой — и вас ждёт мно́го откры́тий!

Задание 37.

Прочитайте предложения, согласитесь с правильными, исправьте неверные.

1. На современной политической карте мира мы видим 149 государств.
2. Россия — самая большая страна в мире.
3. Она имеет самую длинную границу.
4. В России живёт почти 145 миллионов человек, это 180 разных народов.
5. Большая часть населения нашей страны — русские.
6. Государственный язык России — русский.
7. В нашей стране есть 20 городов, где живёт больше миллиона человек.
8. Россия — федеративная демократическая республика.
9. Россия находится в Евразии. Природа в России необычная и очень разная.
10. Больше половины территории страны занимают леса.
11. Зимой на всей территории России *лежит* снег.
12. Встречать гостей хлебом-солью — русский новогодний обычай.
13. В России есть необычный праздник — старый Новый год.
14. Российская культура очень богата, интересна и необычна.

Задание 38.

Закончите предложения в соответствии с содержанием текста.

1. Главой российского государства является **...** .
2. Президента выбирают **...** .
3. Озеро Байкал — это **...** .
4. Зимой 2014 года в российском городе Сочи будут проходить зимние **...** .
5. На Новый год в каждом доме украшают **...** .
6. В новогодние дни проходят детские **...** .

Задание 39.

Прочитайте план текста, расположите пункты плана в соответствии с содержанием.

◯ 1. Природа России.

◯ 2. Российские обычаи, традиции, праздники.

◯ 3. Население России.

◯ 4. Территория России.

◯ 5. Крупные российские города.

◯ 6. Россия — федеративная демократическая республика.

◯ 7. Климат России.

Задание 40.

1. Как вы понимаете слова: «Хлеб — всему голова»?
2. Какие ещё русские *пословицы* вы знаете?
3. О каких народных традициях или обычаях в России вы слышали или читали?
4. Знаете ли вы, какие ещё праздники есть в России и когда их отмечают?
5. Вам интересно жить в России? Объясните, почему.

Задание 41.

Используя исправленный план текста, расскажите о России.

Задание 42.

Составьте план рассказа о вашей стране и расскажите о ней.

ЭТО ВЫ УЖЕ ЗНАЕТЕ

- **В** XX **веке** в космос запустили первые спутники Земли.
- 12 апрел**я** 1961 год**а в** космос полетел первый человек.
- **В** июл**е** 1969 год**а** люди побывали **на** Луне.
- Ю. Гагарин интересовался техник**ой**, серьёзно занимался спорт**ом**.
- Космонавт должен уметь работать голов**ой** и рук**ами**.

(1) Слушайте преподавателя, читайте вопросы. Выберите правильный вариант ответа.

1. Когда первые люди побывали на Луне?
   а) в 1969 году.
   б) в 1996 году.
   в) в XXI веке.
2. Когда князь Юрий Долгорукий основал Москву?
   а) в начале XV века.
   б) в конце X века.
   в) в середине XII века.
3. Когда закончилась II Мировая война?
   а) 9 мая 1954 года.
   б) 9 мая 1944 года.
   в) 9 мая 1945 года.
4. Когда студенты России отмечают свой праздник?
   а) в сентябре каждого года.
   б) в декабре каждого года.
   в) в январе каждого года.
5. Когда царь Пётр I основал Петербург?
   а) в 1803 году.
   б) в 1703 году.
   в) в 1903 году.

6. Когда в России отмечают Рождество?
   а) 25 декабря.
   б) 1 января.
   в) 7 января.
7. Когда Петербург стал столицей России?
   а) в XVIII веке.
   б) в XIX веке.
   в) в прошлом веке.

(2) Замените предложения, используя глаголы **интересоваться**, **заниматься**, **являться**.

- МГУ — самый старый российский университет.
- Ирина любит современные танцы.
- Мальчику нравится хоккей.
- Город Нижний Новгород — крупный промышленный центр России.
- Сергей любит диких животных.
- Вере нравится современная литература.
- Кате нравится балет.

(3) Задайте вопрос **какой?** или **чем?** к выделенным словам и словосочетаниям.

- Я купил **мобильник с видеокамерой**.
- Ольга готовит овощной **салат с сыром и майонезом**.
- Мы чистим одежду **щёткой**.
- В буфете есть **кофе со сливками**.
- Кошка моет котенка **языком**.
- Иван любит **хлеб с солью**.

Материал для повторения

I. ♦ **Этот** студент **приехал** из Конго.
Эта студентка **станет** инженером.
Это общежитие **находится** в центре города.
Эти студенты хорошо **говорят** по-русски.

♦ Это новый студент. **Этот** студент — нов**ый**.
Это новая студентка. **Эта** студентка — нов**ая**.
Это новое общежитие. **Это** общежитие — нов**ое**.
Это новые студенты. **Эти** студенты — нов**ые**.

♦ Анна часто пишет письма **своему** брату.
Андрей пригласил в гости **свою сестру**.
Бинь часто думает о **своих** родителях.

II. ♦ **Мне** нравится Москв**а**.
♦ Мо**ему** брат**у** 11 лет.
♦ Зимой в Москве африканскому студенту холодно.

III. ♦ Петербург красив**ее**, **чем** Москв**а**.
Петербург красив**ее** Москв**ы**.
Москва стар**ше**, **чем** Петербург.
Москва стар**ше** Петербург**а**.

♦ **Чем больше** студент занимается, **тем лучше** он будет говорить по-русски.

IV. ♦ Маленький мальчик **ходит**. Почтальон **носит** письма. Спортсмен **бегает**. Птицы **летают**. Рыбы **плавают**. Студент **идёт** в институт. Почтальон **несёт** письмо моему соседу. Спортсмен **бежит** к финишу. Птицы **летят** на юг. Корабль **плывёт** в Петербург.

♦ Чит**ай**! Чита**й**те! Пиш**и**! Пиш**и**те! Исправ**ь**! Исправ**ь**те!

♦ Преподаватель хочет, **чтобы** студенты говори**ли** по-русски правильно.

V. ♦ — Скажите, пожалуйста, **сколько** (сейчас) **времени**?
— **Без четырёх** (минут) **восемь**. **Половина** десятого. **Четверть** шестого.

♦ Юля **интересуется музыкой**.

♦ Валя **занимается спортом**.

♦ А.С. Пушкин родился **6-го июня 1799-го года**. Он погиб **в январе 1837-го года**.
Юрий Гагарин родился **в 1934-ом году**, **в** прошлом **веке**.

Таблица 1

Единственное число существительных, прилагательных, указательного и притяжательных местоимений, порядковых числительных

I И. п.	*Какой? Какая? Какое? Чей? Чья? Чьё?*	
II Р. п. **у, из (с), от, без, около, кроме**	*Какого? Какой?* *Чьего? Чьей?*	В классе нет **нового** студента и **новой** студентки. У **нашего** преподавателя нет **моей** тетради.
III Д. п. **по, к**	*Какому? Какой?* *Чьему? Чьей?*	**Этому** студенту 20 лет. **Новой** студентке нравится Москва. **Моему** другу грустно. **Вашей** подруге нельзя курить.
IV В. п. **в, на**	*Какого? Какую?* *Чьего? Чью?* *Какой? Какое?* *Какую? Чей?* *Чьё? Чью?*	Я знаю **нового** студента и **новую** студентку. Студенты уважают **своего** декана и **свою** преподавательницу. Мы вспоминаем **первый** урок, **первое** домашнее задание и **первую** «пятёрку». Антон потерял **свой** учебник, **своё** задание и **свою** сумку.
V Т. п. **с**	*Каким? Какой?* *Чьим? Чьей?*	Виктор занимается **большим** теннисом. Анна интересуется **современной** музыкой. Мальчик рисует **красным** карандашом. Ахмед говорил со **своим** братом и со **своей** сестрой.
VI П. п. **о, в, на**	*(О) каком?* *(О) какой?* *(О) чьём?* *(О) чьей?*	Брат мечтает о **новом** доме или о **новой** квартире. Бинь приехал на **своём** велосипеде, а Нам приехал на **своей** машине. В **нашем** общежитии жарко.

Таблица 2

Множественное число существительных, прилагательных, указательного и притяжательных местоимений, порядковых числительных

I И. п.	*Кто? Что? Какие? Чьи?*	
II Р. п. **у, из (с), от, без, около, кроме**	*Кого? Чего? Откуда? От кого? Где (у кого)? Каких? Чьих?*	В университете много **иностранных студентов** и **студенток**. Они приехали из **маленьких** и **больших стран** и **городов**. Мы были у **наших родителей**. Мы вернулись от **наших** родителей.
III Д. п. **по, к**	*Кому? Чему? Куда (к кому)? Каким? Чьим?*	Туристы ездили по **разным городам**. **Больным людям** нужно ходить к **хорошим врачам**. **Вашим друзьям** всегда весело.
IV В. п. **в, на**	*Кого? Что? Куда? Каких? Чьих? Какие? Чьи?*	Студенты помнят **своих первых русских друзей** и **подруг**, **свои первые русские слова**. Москвичи ходят в **свои новые** школы и университеты.
V Т. п. **с**	*Кем? Чем? Какими? Чьими?*	Девушки стали **хорошими переводчиками**. Я хочу познакомиться с **вашими родителями**. США и Япония являются **развитыми промышленными странами**.
VI П. п. **о, в, на**	*(О) ком? (О) чём? Где? (О) каких? (О) чьих?*	Мы читали рассказы о **великих русских людях**. Студенты живут в **разных городах** и **странах**. На **наших улицах** светло и чисто.

Приложение

Аудиоматериалы к урокам

Урок 1

Тема: ЗНАКОМСТВО

1. Прослушайте **диалог 1** и ответьте на вопросы.

Диалог 1

А — Андрей **Р** — Ричард **Д** — Джулия

А: Здравствуйте! Давайте познакомимся! Меня зовут Андрей. Моя фамилия Романов. Я ваш гид и переводчик.

Р: Очень приятно! Меня зовут Ричард. Ричард Стюарт. А это моя жена Джулия. Мы из Англии.

А: Очень рад с Вами познакомиться, Джулия.

Д: Я тоже рада.

А: Вы приехали в Москву в первый раз?

Д: Да, мы никогда не были здесь, но много слышали и читали о Москве. Мы давно хотели увидеть этот прекрасный город своими глазами.

А: Ричард, вы живёте в Лондоне?

Р: Нет, мы живём в маленьком городе недалеко от Лондона. А в Лондоне я работаю.

А: А кто вы по профессии, если не секрет?

Р: Конечно, не секрет. Я юрист, а моя жена преподаватель русского языка.

А: О, теперь я понимаю, почему Вы так хорошо говорите по-русски.

Вопросы:

1. Откуда приехали Ричард и Джулия Стюарт?
2. В каком городе живут Ричард и Джулия?
2. Они раньше были в Москве?
3. Где работает Ричард? Кто он по профессии?
4. Почему он хорошо говорит по-русски?

2. Прослушайте **диалог 2** и ответьте на вопросы.

Диалог 2

А — Алексей **Т** — Турист

А: Добрый день! Скажите, откуда вы? Вы из Голландии?

Т: Здравствуйте! Да, я из Голландии.

А: Как ваша фамилия? Ваша фамилия Вермер?

Т: Да, моя фамилия Вермер. А как вас зовут?

А: Меня зовут Алексей. Я работник туристической фирмы. Я жду вас.

Т: Приятно познакомиться.

А: Мне тоже очень приятно. Где ваш багаж?

Т: Я ещё не получил его.

А: Я помогу вам. Мы вместе получим ваш багаж, а потом поедем в гостиницу.

Т: Хорошо. А как мы поедем? На метро? У меня очень тяжёлый чемодан.

А: Не волнуйтесь. Мы поедем на машине.

Вопросы:

1. Скажите, откуда приехал турист.
2. Кто встретил туриста в аэропорту?
3. Куда и на чём они хотят поехать?
4. Почему турист не может ехать на метро?

3. Прослушайте **диалог 3** и ответьте на вопросы.

Диалог 3

М — Михаил **Н** — Настя **Д** — Дитер

М: Настя, познакомься, пожалуйста, это мой друг. Его зовут Дитер.

Н: — Очень приятно. Меня зовут Анастасия, или просто Настя.

Д: — Какое красивое имя! И вы тоже очень красивая!

Н: — Спасибо за комплимент, Дитер. Вы неплохо говорите по-русски. Откуда Вы приехали?

Д: — Я приехал из Германии, из Берлина. Я уже 6 месяцев живу в России.

Н: — Вы здесь учитесь или работаете?

Д: — Как сказать... И работаю, и учусь.

Н: — А где Вы работаете?

Д: — В российско-немецкой строительной компании. Я инженер. А кто вы по профессии?

Н: — У меня ещё нет профессии. Я студентка.

Д: — А где вы учитесь?

Н: — В медицинском институте, на третьем курсе.

Д: — Значит, вы будущий врач?

Н: — Я надеюсь. Дитер, вы сказали, что вы тоже учитесь. А где?

Д: — Да-да, немного учусь. В свободное время я изучаю русский язык на курсах в Москве. Мне нужна практика, поэтому я хочу Вас попросить... помочь мне.

Н: — Я с удовольствием Вам помогу, но как?

Д: — Давайте в воскресенье погуляем вместе по Москве или пойдём в кафе.

Н: — Хорошо, но при условии, что мы будем говорить только по-русски.

Д: — Согласен! До встречи.

Н: — До свидания.

Вопросы:

1. Скажите, почему Дитер неплохо говорит по-русски.
2. Откуда приехал Дитер?
3. Сколько времени он живёт в России?
4. Кто он по профессии?
5. Где он работает?
6. Где учится Настя?
7. Кем она хочет стать?
8. О чём Дитер попросил Настю?

4. Составьте микродиалоги по ситуациям.

а) Задание 1-ому учащемуся.

Вы гид-переводчик (работник туристической фирмы). Вы встречаете иностранных туристов в аэропорту (на вокзале). Представьтесь, спросите, как их зовут, откуда они приехали, кто они по профессии и т.д., предложите им свою помощь.

Задание 2-му учащемуся.

Вы иностранный турист. Познакомьтесь с вашим гидом, ответьте на его вопросы, расскажите о себе, о своей семье, о профессии, задайте ему вопросы о Москве, о гостинице, об экскурсиях и т.д.

б) Познакомьте вашего друга (подругу) со своим братом (сестрой, матерью, преподавателем).

в) Ваш друг (подруга) знакомит вас со своим братом (сестрой). Задайте ему (ей) вопросы о профессии, об учёбе, о работе, музыке, книгах. Попросите его (её) помочь вам изучать русский язык.

Тема: ОРИЕНТАЦИЯ В ГОРОДЕ

1. Прослушайте **диалоги**. Скажите, куда идут (едут) Наташа, Малик, Джон.

Диалог 4

Н — Наташа	**М** — Малик
Д — Джон	**П** — прохожий

Н: Извините, пожалуйста, вы не скажете, какая это улица?

П: Это Большая Дмитровка.

Н: А как пройти на Тверскую?

П: Идите прямо, потом направо.

Н: Спасибо.

Диалог 5

М: Скажите, пожалуйста, где находится новый цирк?

П: На проспекте Вернадского.

М: А как до него доехать?

П: Нужно ехать на метро до станции «Университет». Новый цирк находится недалеко от метро.

М: Большое спасибо.

П: Не за что.

Диалог 6

Д: Извините, вы не знаете, где находится магазин «Дом книги»?

П: «Дом книги» находится на улице Новый Арбат.

Д: А как туда доехать?

П: Можно на метро или на троллейбусе.

Д: А где остановка троллейбуса? Далеко?

П: Нет, недалеко. Вот она.

2. Прослушайте **диалоги** и ответьте на вопросы.

Диалог 7 (*у кассы метро*)

М — Малик **С** — Сергей **П** — Пассажир

С: Тебе нужен билет на метро?

М: Да, нужен. А где его можно купить?

С: В кассе.

М: Сколько он стоит?

С: 28 рублей на одну поездку.

М: А можно взять карточку на 5 поездок?

С: Конечно. Можно на 5, на 10, на 20 поездок, а можно купить проездной билет на месяц.

М: Это очень удобно!

Диалог 8 (*в метро*)

М: Извините, какая сейчас станция?

П: «Таганская»

М: А вы не скажете, как мне доехать до станции «Университет»?

П: Вам нужно ехать до станции «Парк культуры» и там сделать пересадку.

М: А сколько остановок до «Парка культуры»?

П: Четыре остановки.

М: Большое спасибо.

П: Не стоит.

М: Простите, вы сейчас выходите?

П: Нет, не выхожу.

М: Разрешите пройти.

П: Пожалуйста.

Вопросы:

1. Где можно купить билет на метро?
2. Сколько стоит билет на одну поездку?
3. До какой станции едет Малик?

3. Прослушайте **диалог 9** и скажите, куда едет Карлос.

Диалог 9 (*в такси*)

К — Карлос   **В** — водитель

К: Вы свободны?

В: Да, садитесь, пожалуйста. Куда поедем?

К: Пожалуйста, в центр, на Тверскую улицу.

В: А там?

К: Там большой кинотеатр, но я забыл, как он называется.

В: Может быть, «Пушкинский»?

К: Да, конечно, там на площади есть памятник Пушкину! Извините, я ещё плохо знаю Москву.

4. Составьте микродиалоги по ситуациям.

а) Вам нужно купить билет в метро на 5 (10, 20) поездок.

б) Вы хотите знать, какая будет следующая остановка.

в) Вы хотите знать, как доехать до нужной станции.

г) В вагоне много пассажиров. Следующая остановка ваша, а вы находитесь далеко от выхода.

д) Вы хотите поехать на такси. Поговорите с водителем: узнайте, свободен ли он, скажите, куда вам нужно ехать.

е) Вы гуляете по городу. Узнайте у прохожего, какой объект (улица, станция метро, здание, музей) находится перед вами.

ж) Вы не знаете, где находится нужный вам объект (улица, дом, театр, магазин) и как до него доехать. Спросите об этом у прохожего (друга, знакомого, преподавателя).

Урок 2

Тема: В ГОСТИНИЦЕ

1. Прослушайте **диалог 1** и выполните задание.

Диалог 1

Т — турист **М** — менеджер

Т: Здравствуйте!

М: Добрый день!

Т: У вас есть свободные места? Я хочу снять номер.

М: Какой номер вам нужен: одноместный или двухместный?

Т: Одноместный с телефоном.

М: На сколько дней?

Т: На неделю.

М: Да, пожалуйста. В номере есть душ, телефон, телевизор, холодильник

Т: А кондиционер?

М: Кондиционера нет. Но сейчас не очень жарко. Вы можете открыть окно.

Т: Хорошо. Сколько стоит номер?

М: 950 рублей в сутки.

Т: Меня это устраивает.

М: Тогда заполните, пожалуйста, бланк. Здесь вы пишете фамилию и имя, тут номер паспорта и домашний адрес, а там дату и подпись.

Т: Вот, пожалуйста, все готово.

М: Вы забыли поставить подпись.

Т: Извините.

М: Теперь все правильно. Ваш номер 417 на четвёртом этаже. Вот ваш ключ. Приятного отдыха.

Т: Спасибо.

- Задание. Выберите правильный вариант окончания фразы или пропущенного слова.

а) Турист хочет снять | одноместный / двухместный / трехместный | номер

б) В номере нет | холодильника / душа / кондиционера

в) Номер находится **...** этаже | на четвертом / на пятом / на четырнадцатом

г) Турист снял номер | на три дня / на неделю / на месяц

2. Прослушайте **диалог 2** и ответьте на вопросы.

Диалог 2

Г — горничная **Т** — турист

Г: Вот ваш номер. Здесь шкаф, там кровать, на кровати одеяло и подушка. Телефон на столе у окна. В холодильнике есть вода и сок. Телевизор можно включать и выключать пультом. А там душ и туалет.

Т: Спасибо. Мне всё нравится. И прекрасный вид из окна: рядом большой красивый парк.

Г: Да, здесь будет тихо и спокойно.

Т: Это очень важно! Мне нужно хорошо отдохнуть. Скажите, а где можно поужинать?

Г: У нас в гостинице на втором этаже есть ресторан. Он работает до двенадцати часов. Недалеко есть кафе и пиццерия.

Т: А где можно позвонить в другую страну?

Г: Междугородный и международный телефон находится на первом этаже. Там же обмен валюты и киоск с сувенирами.

Т: Большое спасибо. Вы очень любезны!

Вопросы:

1. Скажите, что есть в номере гостиницы.
2. На каком этаже находится ресторан?
3. Где можно поужинать?
4. Что находится на первом этаже гостиницы?
5. Что особенно понравилось туристу?

3. Прослушайте **диалог 3** и ответьте на вопросы.

Диалог 3 (*в ресторане*)

М — Максим **Л** — Лена **О** — официант

О: Здравствуйте! Добро пожаловать!

М: Добрый день. У вас есть свободные столики?

О: Да, пожалуйста, вы можете сесть вот здесь, в центре зала, или там, у окна.

Л: Давай сядем у окна.

О: Пожалуйста, садитесь. Вот меню.

М: Спасибо. Ну, что возьмём на закуску? Может быть, салат? Выбирай, какой салат тебе нравится.

Л: Не знаю. Здесь много салатов: с мясом, с курицей, с креветками.

М: Я советую тебе взять греческий салат с сыром. Это очень вкусно.

Л: Хорошо. А что ты выбрал?

М: А я возьму салат «Цезарь». Так, а что ты будешь на первое?

Л: Ничего. Я не очень люблю суп.

М: Жаль! Здесь очень вкусно готовят украинский борщ. Я возьму его. А что ты хочешь на второе?

Л: Сейчас. Дай подумать. Так, я буду бифштекс с картошкой и овощами.

М: Отлично. А я возьму котлету по-киевски. Вот идёт наш официант.

О: Вы готовы?

М: Да, пожалуйста, салат «Цезарь» и греческий салат с сыром, один украинский борщ, бифштекс с картошкой и овощами и котлету по-киевски.

О: Хорошо. А что из напитков? Вино, коньяк, шампанское?

М: У вас есть светлое пиво?

О: Да, конечно.

М: Тогда мне, пожалуйста, пиво. Лена, а что ты будешь пить?

Л: Только минеральную воду.

О: С газом, без газа?

Л: С газом, пожалуйста.

О: Хорошо.

(Через несколько минут)

О: Вот ваш заказ. Приятного аппетита.

М, Л: Спасибо.

(После обеда)

М: Будьте добры, счёт (Принесите, пожалуйста, счёт).

О: Ваш счёт, пожалуйста.

М: Спасибо. Сдачи не надо. Всё было очень вкусно.

Вопросы:

1. Какой столик выбрали Максим и Лена?
2. Какие салаты есть в ресторане?
3. Какие салаты они заказали?
4. Что выбрали Максим и Лена на первое и почему?
5. Какие напитки предложил официант?
6. Какой напиток выбрала Лена?
7. Что сказал официант гостям, когда принёс заказ?
8. Что сказали Максим и Лена, когда хотели заплатить за обед?

4. Прослушайте **диалог 4** и скажите, что заказала в кафе Джулия.

Диалог 4 (*в кафе*)

Д — Джулия **О** — официант

Д: Что у вас есть на десерт?

О: У нас есть шоколадный торт, яблочный пирог, мороженое, фрукты.

Д: Мне, пожалуйста, яблочный пирог и мороженое.

О: Клубничное или ванильное?

Д: Клубничное.

О: Чай, кофе?

Д: Кофе, пожалуйста

О: Эспрессо или капучино?

Д: Эспрессо.

О: С сахаром, без сахара?

Д: Без сахара

О: Что ещё?

Д: У вас есть сок?

О: Да, есть: ананасовый, апельсиновый, яблочный.

Д: Будьте добры, апельсиновый.

О: Со льдом, безо льда?

Д: Со льдом, пожалуйста.

О: Хорошо. Одну минутку.

5. Составьте микродиалоги по ситуциям.

а) Вы приехали в другой город и хотите снять номер в гостинице. Поговорите с менеджером: объясните, какой номер вам нужен, на сколько дней, спросите, сколько он стоит, заполните бланк.

б) Спросите у менеджера (у горничной), где можно позавтракать (поужинать), где находится почта (магазин, телефон, спортзал), есть ли в гостинице кафе, ресторан (боулинг, бассейн, ночной клуб), когда они работают, где можно купить сувениры (газеты, карту города).

в) Вы пришли в ресторан с друзьями (с девушкой, с женой, с мужем, с коллегой). Спросите, что они хотят заказать на обед (на ужин), скажите, что вы хотите заказать.

г) Поговорите с официантом, сделайте заказ, объясните, что вы и ваши друзья хотите взять на закуску, на первое, на второе, на десерт.

д) Попросите официанта принести счёт, поблагодарите его, попрощайтесь.

е) Вы пришли в кафе. Закажите кофе (чай, сок, минеральную воду), десерт (пирог, кекс, шоколад), мороженое (ананасовое, клубничное, ванильное).

Тема: В МАГАЗИНЕ

1. Прослушайте **диалог 5** и выполните задание.

Диалог 5

М — Мария **П** — продавец

П: Я вас слушаю.

М: Будьте добры, пакет молока, пачку масла, фруктовый йогурт и 300 граммов сыра.

П: Какой сыр? У нас много сортов.

М: Мне нужен не очень жирный сыр. Какой вы посоветуете?

П: Возьмите «Российский». Он нежирный, свежий и очень вкусный.

М: Хорошо. Дайте 300 граммов «Российского».
П: Вам нарезать?
М: Да, нарежьте, пожалуйста.
П: Что ещё?
М: Скажите, у вас есть рис?
П: Нет, рис можно купить в отделе «Бакалея».
М: Спасибо. Сколько с меня?
П: 284 рубля.
М: Вот, пожалуйста.
П: Возьмите сдачу.

- Задание. Прочитай высказывания, согласитесь с ними или возразите.

1. Мария купила в магазине молоко, мясо, йогурт и сыр.
2. В магазине есть много сортов сыра.
3. Мария хочет купить жирный сыр.
4. Она купила 500 граммов «Российского» сыра.
5. Рис можно купить в отделе «Бакалея».
6. Мария заплатила 280 рублей.

2. Прослушайте **диалог 6** и ответьте на вопросы.

Диалог 6 (*в магазине «Овощи-фрукты»*)

М — Мария **П** — продавец

М: Скажите, пожалуйста, у вас есть апельсины?
П: Да, есть, очень хорошие, сладкие апельсины.
М: Сколько стоит килограмм?
П: 60 рублей. Сколько Вам нужно?
М: Килограмм, пожалуйста.

П: Что ещё?

М: Ещё килограмм яблок и два лимона.

П: Вам нужен пакет?

М: Да, конечно. Сколько с меня?

П: 152 рубля 50 копеек.

М: Вот 200 рублей.

П: Может быть, у вас есть 2.50? Посмотрите, пожалуйста.

М: Да, есть. Возьмите.

П: Спасибо. Вот ваша сдача — 50 рублей.

Вопросы:

1. Что купила Мария в магазине «Овощи-фрукты»?
2. Сколько стоит покупка?
3. Сколько стоит килограмм апельсинов?

3. Прослушайте **диалог 7**. Скажите, что купила Мария в магазине «Одежда».

Диалог 6 (*в магазине «Одежда»*)

М — Мария **П** — продавец

П: Здравствуйте. Я могу Вам помочь?

М: Да, пожалуйста. Мне нужна тёплая куртка.

П: Какой у вас размер?

М: 48 (сорок восьмой).

П: Какой рост?

М: 176 (сто семьдесят шесть).

П: Вот, посмотрите эту красную куртку. Она очень модная и недорогая.

М: А она тёплая?

П: Да, очень.

М: Но мне не нравится красный цвет. У вас есть другой цвет?

П: Да, конечно. Выбирайте. Вот серая куртка, голубая, зелёная. Какая вам нравится?

М: Я думаю, вот эта, голубая. Можно её примерить?

П: Да, пожалуйста. Зеркало там.

М: Ну, как?

П: Вам очень идёт эта куртка. У вас голубые глаза. Посмотрите, как хорошо.

М: Мне тоже нравится. Сколько она стоит?

П: 7500 (семь тысяч пятьсот) рублей.

М: Я возьму её.

П: Хорошо. Платите в кассу.

5. Составьте микродиалоги по ситуциям.

а) Вы пришли в магазин. Попросите продавца дать вам нужное количество продуктов, спросите, сколько вы должны заплатить, получите сдачу.

б) Вы пришли в магазин «Одежда». Попросите показать вам вещь, которую вы хотите купить. Скажите продавцу, какой у вас размер и рост. Спросите, сколько стоит вещь. Купите её.

Тема: ПРИГЛАШЕНИЕ В ТЕАТР

1. Прослушайте **диалог 1** и ответьте на вопросы.

Диалог 1

С — Саманта **М** — Марк

М: Саманта, вы свободны в субботу вечером?

С: Да, свободна. А что?

М: Я хочу пригласить вас в театр.

С: Спасибо за приглашение. Я с удовольствием пойду. А в какой театр?

М: В Большой.

С: Не может быть! Я давно мечтала туда попасть. Спасибо, Марк. А на какой спектакль мы пойдём?

М: На балет «Щелкунчик».

С: Фантастика! Я так люблю музыку Чайковского! А кто танцует главную партию?

М: Извините, Саманта, но я не очень хорошо знаю артистов балета.

С: А когда начинается спектакль?

М: В семь часов вечера.

С: Где и когда мы встретимся?

М: Давайте встретимся у входа в театр в 6.30 (шесть тридцать).

С: Договорились.

М: До встречи.

Вопросы:

1. Куда Марк пригласил Саманту?
2. Когда Марк и Саманта пойдут в театр?
3. Какой спектакль они будут смотреть?
4. Кто написал музыку к балету « Щелкунчик»?
5. Когда начинается спектакль?
6. Где и когда они должны встретиться?

2. Прослушайте **диалог 2** и скажите, почему Марк не купил билеты на драматический спектакль.

Диалог 6 (*в кассе театра*)

М — Марк **К** — Кассир

М: Извините, у вас есть билеты в Большой театр на субботу?

К: Да, есть. На балет «Щелкунчик». Сколько билетов вам нужно?

М: Два

К: Есть места на третьем ярусе или в партере, но они дорогие.

М: Ничего. Дайте два билета в партере, пожалуйста.

К: А вы не хотите пойти на драму? Чехов, «Три сестры» — прекрасный спектакль.

М: Нет, потому что я ещё плохо понимаю по-русски.

К: А-а! Теперь ясно, почему туристы так любят смотреть балет!

3. Прослушайте **диалог 3** и ответьте на вопросы.

Диалог 3

С — Сергей **В** — Владимир

В: Где вы были вчера вечером?

С: Вчера мы с женой ходили в театр.

В: В какой?

С: В «Современник».

В: А какой спектакль вы смотрели?

С: «Три сестры» Чехова.

В: Вам понравилось?

С: Очень! Отличный спектакль.

В: О чём он?

С: Как сказать? О русских людях, их характерах и проблемах, о прекрасных мечтах и реальной жизни.

В: А кто поставил этот спектакль?

С: Галина Волчек, главный режиссер театра «Современник», очень талантливый человек.

В: Кто играет главные роли?

С: Ольга Дроздова и Чулпан Хаматова.

В: Если я не ошибаюсь, в пьесе Чехова было три сестры.

С: Да, конечно, роль младшей сестры исполняет молодая, но уже очень известная артистка Виктория Романенко.

В: А что вам понравилось больше всего?

С: Мне понравилась прекрасная игра артистов. Это так ново, необычно, талантливо!

Б: А что понравилось вашей жене?

С: Моей жене? Ей понравилась грустная музыка в спектакле и яблочный торт в буфете.

Вопросы:

1. В каком театре были Сергей и его жена?
2. Какой спектакль они смотрели?
3. Кто написал пьесу «Три сестры»?
4. О чём рассказывает этот спектакль?
5. Что понравилось Сергею и его жене?

4. Составьте микродиалоги по ситуациям.

а) Вы хотите пригласить подругу (друга) в театр (в цирк, в музей, на выставку). Договоритесь о встрече, скажите, на какой спектакль вы пойдёте, когда он начинается, где и когда вы встретитесь.

б) Вы покупаете в кассе билеты в театр. Скажите кассиру, сколько билетов вам нужно, на какой спектакль, на какое число. Спросите, как доехать до театра.

в) Вы посмотрели спектакль (балет, выставку). Расскажите другу о своих впечатлениях.

Тема: БУДЬТЕ ЗДОРОВЫ!

1. Прослушайте **диалог 4** и ответьте на вопросы.

Диалог 4 (*в регистратуре поликлиники*)

М — Майкл **Р** — работник регистратуры

М: Здравствуйте!

Р: Здравствуйте! Слушаю вас.

М: Я могу записаться к врачу?

Р: К какому?

М: К терапевту.

Р: У вас есть медицинская страховка?

М: Вот, пожалуйста.

Р: Ваша фамилия, имя.

М: Майкл Бойл.

Р: Год рождения?

М: 1992-ой.

Р: На какое время вы хотите?

М: Если можно, сейчас.

Р: Хорошо. Вот талон на 10 часов утра. Кабинет № 21 на втором этаже.

М: Большое спасибо.

Вопросы:

1. К какому врачу записался Майкл?
2. На какое время Майкл записался к врачу?
3. Где находится кабинет врача?

2. Прослушайте **диалог 5**, ответьте на вопросы и выполните задание.

Диалог 5 (*в кабинете врача*)

М — Майкл **В** — врач

М: Здравствуйте, доктор.

В: Здравствуйте. Садитесь. Что случилось? (Что с вами?)

М: Я плохо себя чувствую. У меня болит голова и горло.

В: Какая у Вас температура?

М: 37,5 (тридцать семь и пять)

В: Откройте рот, скажите «А-а-а».

М: А-а-а.

В: Да, горло красное. Кашель есть?

М: Да, у меня сильный кашель.

В: А насморк?

М: И насморк тоже есть.

В: Всё понятно. У вас ангина. Вам нужно принимать лекарства. Вот рецепт.

М: А где можно купить лекарства?

В: В любой аптеке.

М: А как принимать эти лекарства? Сколько раз в день?

В: Таблетки и витамины Вы будете принимать 3 раза в день после еды. Ещё пейте больше воды, тёплый чай с лимоном и тёплое молоко. Вам нужно лежать в постели, отдыхать и много спать.

М: Спасибо, доктор, я так и сделаю. Когда мне нужно прийти к вам в следующий раз?

В: Приходите через неделю, во вторник.

М: Большое спасибо. До свидания.

В: Всего доброго. Выздоравливайте.

Вопросы:

1. Почему Майкл пришёл к врачу. Что у него болит?
2. Какое лечение назначил врач?
3. Когда Майкл придёт в следующий раз?

Задание. Выберите правильный вариант окончания фразы.

Майкл чувствует себя	хорошо плохо нормально
У него болит	голова рука горло
У него сильный	насморк кашель голос

У него	грипп ангина бронхит
Лекарства можно купить	в магазине в аптеке на рынке
Таблетки нужно принимать	1 раз в день 3 раза в месяц 3 раза в день
Майку нужно	гулять на улице лежать в постели работать дома

3. Составьте **диалоги** по ситуациям.

а) Вы пришли в поликлинику. Запишитесь к врачу (терапевту, хирургу, стоматологу, кардиологу).

б) Вы в кабинете врача. Скажите ему, как вы себя чувствуете, что у вас болит, ответьте на вопросы врача, спросите, как нужно принимать лекарства.

4. Прослушайте **диалог 6** и ответьте на вопросы.

Диалог 6

В — врач **П** — пациент

П: Доктор, я очень плохо себя чувствую. Я не могу спать, не хочу есть. Что мне делать?

В: Ничего страшного. Вы просто устали. Вам нужен отпуск сейчас.

П: Сейчас? Зимой? Но я люблю отдыхать летом.

В: Зимой тоже можно прекрасно отдохнуть. Можно, например, поехать в деревню.

П: А что там делать?

В: Что делать? Ничего не делайте. Спите, гуляйте на свежем воздухе, больше ходите, катайтесь на лыжах и не думайте о работе.

Вопросы:

1. Почему пациент плохо себя чувствует?
2. Что посоветовал ему врач?

Урок 4

Тема: ПУТЕШЕСТВИЕ

1. Прослушайте **диалог 1** и ответьте на вопросы.

Диалог 1

А — Андрей **Б** — Борис

Б: Андрей, где вы отдыхали прошлым летом?

А: Мы с женой ездили в Сочи, на Чёрное море.

Б: Вы ездили на поезде?

А: Туда мы ехали на поезде, а обратно летели на самолёте.

Б: А сколько времени самолет летит до Сочи?

А: Примерно два часа. Очень удобно. А на поезде надо ехать 28 часов. Поэтому я предпочитаю самолёт.

Б: А вот я не люблю летать на самолёте.

Вопросы:

1. Где Андрей отдыхал в прошлом году?
2. С кем Андрей отдыхал в прошлом году?
3. На чём они ездили в Сочи?
4. Почему Андрей предпочитает самолёт?
5. Сколько времени идёт поезд до Сочи?

2. Прослушайте **диалог 2** и выполните задания.

Диалог 2

Ж — Жак	**М** — Менеджер

Ж: Я хочу забронировать два билета до Хабаровска.

М: На какое число?

Ж: А по каким дням летают самолёты в Хабаровск?

М: Каждый день.

Ж: Тогда на 21-ое июня.

М: Какой класс?

Ж: Эконом-класс, пожалуйста.

М: На 21-ое июня есть утренний рейс в 5.43 (пять сорок три).

Ж: Это очень рано, а есть другие рейсы?

М: Так, минутку. 23-го июня, рейс 714, в 17.10 (семнадцать десять).

Ж: Это мне подходит. Сколько стоят два билета?

М: 16 700 (шестнадцать тысяч семьсот) рублей.

Ж: Хорошо, забронируйте, пожалуйста, два места.

М: Ваша фамилия, имя.

Ж: Виньяр Жак.

М: Заказ принят Виньяр Жак, 2 билета до Хабаровска на 23 июня, рейс 714, эконом-класс. Всё правильно?

Ж: Да, так. Большое спасибо. До свидания.

М: Всего доброго.

Задание. Выберите правильный вариант окончания фраз.

Жак забронировал билеты	до Петербурга до Хабаровска до Парижа
Жак хочет купить билеты	на поезд на самолёт на космический корабль
Самолеты до Хабаровска летают	2 раза в неделю каждую неделю каждый день
Жак заказал билеты на	21 июня 22 августа 23 июня
Жак забронировал билеты	бизнес-класса эконом-класса vip-класса

3. Составьте **диалоги** по ситуациям.

а) Вы хотите поехать в отпуск (на родину, в другой город). Забронируйте билеты на самолёт (на поезд) для себя и своих друзей (семьи).

б) Спросите у друга (подруги), где он (она) отдыхал (а) в прошлом году, будет отдыхать в этом году. На чём он (она) ездил (поедет) туда?

4. Прослушайте **диалог 3** и скажите, кто по профессии жена Максима. Выполните задание.

Диалог 3

М — Максим **Л** — Лариса

Л: Привет, Максим!

М: О, здравствуй, Лариса! Как давно я тебя не видел!

Л: Да, сколько лет, сколько зим! Как у тебя дела? Рассказывай!

М: Спасибо, все нормально. А ты совсем не изменилась, Лариса. Время идёт, а ты все такая же, как десять лет назад.

Л: Спасибо за комплимент. Да, время не идёт, а бежит. Летит! Знаешь, у меня уже два сына.

М: О! Поздравляю!

Л: А у тебя есть дети?

М: Пока нет.

Л: Ты что, еще не женат?

М: Нет, я женат уже два года.

Л: Расскажи о своей жене. Как её зовут? Я её знаю?

М: Нет, ты её не знаешь. Мы познакомились с ней в самолёте.

Л: Как интересно! Вы вместе летели отдыхать?

М: Нет, она стюардесса. Она работает в крупной авиакомпании и часто летает в разные страны и города. На прошлой неделе, например, она летала в Париж, а сейчас она в Риме.

Л: Фантастика! А что делаешь ты, когда твоя жена летает?

М: Я? Я жду её. И встречаю после полёта. Вот сейчас я должен ехать в аэропорт, чтобы её встретить. Извини.

Л: Ну что ты! Кстати, я тоже спешу: иду в школу встречать своих мальчиков. Ой, уже пять часов! Кажется, я опоздала. Извини, бегу! До встречи!

М: Пока. Я позвоню тебе.

5. Составьте **диалог** по ситуации.

Вы встретили на улице друга (подругу), которого (которую) давно не видели. Выразите удивление, радость от встречи, расспросите его (её) о семье, о работе, расскажите о себе. Договоритесь о встрече или звонке по телефону.

6. Прослушайте **диалог 4** и ответьте на вопросы

Диалог 4

И — Игорь **К** — Костя

К: Привет, Игорь! Куда ты идёшь и кому ты несёшь эти красивые цветы?

И: Я несу цветы Светлане. У неё сегодня день рождения. Хочу её поздравить.

К: Вот как! А я и не знал. Передай ей мои поздравления. Я желаю ей поступить в университет в этом году!

И: Хорошо. Обязательно передам. А может быть, пойдём вместе к Светлане?

К: Нет, извини, не могу. Я иду в спортзал. У меня сегодня тренировка.

И: Ты часто ходишь в спортзал?

К: Я хожу туда три раза в неделю. Извини, я спешу.

И: Ну, пока!

К: До встречи.

Вопросы:

1. Куда идёт Игорь?
2. Кому Игорь несёт цветы?
3. Почему он несёт цветы Светлане?

4. Почему Костя не может пойти к Светлане?

5. Как часто Костя ходит на тренировки?

6. Что Костя просил передать Светлане?

7. Прослушайте **диалог 5** и ответьте на вопросы.

Диалог 5

О — Олег **Т** — Тамара

О: Что случилось, Тамара? Почему у вас такой беспорядок: чемоданы, сумки, вещи?

Т: Завтра мы едем в отпуск!

О: Отлично! А куда?

Т: Мы едем на Кипр и будем 10 дней отдыхать на море, плавать, загорать на пляже, ездить на экскурсии.

О: А раньше вы были на Кипре?

Т: Мы с мужем ездили туда пять лет назад, но дети никогда ещё не были на море и никогда не летали на самолёте. Для них это первое путешествие. Они так рады!

О: Но будьте осторожны! Там сейчас очень жарко. Лучше загорать рано утром. Плавать тоже лучше утром.

Т: Но утром дети хотят спать.

О: Тогда возите их на пляж вечером, часов в пять. В это время можно и плавать, и загорать, и бегать, и играть в мяч.

Т: А что делать днём?

О: А днём возите их на экскурсии, ходите с ними в музеи, в детский парк или кафе-мороженое.

Т: Я думаю, это им понравится.

О: Желаю вам приятного отдыха.

Т: Спасибо за советы.

О: Счастливого пути!

Вопросы:

1. Куда собирается ехать Тамара?
2. С кем она поедет отдыхать?
3. Кто из них раньше был на Кипре и кто не был?
4. Что они будут делать на море?
5. Какой совет дал Олег Тамаре?

8. Составьте **диалоги** по ситуации.

Ваши друзья собираются ехать в отпуск. Спросите, куда они поедут, с кем, на сколько дней. Дайте им несколько советов: что нужно посмотреть, какие вещи взять с собой, где лучше обедать, на какую экскурсию поехать.

Урок 5

Тема: РАЗГОВОР ПО ТЕЛЕФОНУ

1. Прослушайте **диалог 1** и ответьте на вопросы.

Диалог 1

А — Андрей **Д** — Даша **М** — мама Даши

А: Алло! Здравствуйте! Можно Дашу?

М: Одну минутку.

А: Даша?

Д: Да, это я.

А: Привет, Даша! Это Андрей.

Д: Андрей? Здравствуй! Вот это сюрприз! Ты в Москве?

А: Да, вчера приехал. Я очень хочу тебя увидеть.

Д: Я тоже. Знаешь что, приходи сегодня вечером к нам в гости. Я так много хочу тебе рассказать!

А: А это удобно?

Д: Конечно! Мама будет очень рада. Она часто спрашивает о тебе. Придёшь?

А: Спасибо. Обязательно приду.

Вопросы:

1. Кому позвонил Андрей и где он сейчас находится?
2. Когда Андрей приехал в Москву?
3. Куда пригласила его Даша?

2. Прослушайте **диалог 2** и ответьте на вопросы.

Диалог 2

Д — Джон **М** — мама Дениса

Д: Алло! Добрый день!

М: Здравствуйте!

Д: Будьте добры, Дениса.

М: Его нет дома.

Д: А когда он будет?

М: Вечером, часов в шесть. Что ему передать?

Д: Передайте, пожалуйста, что звонил Джон. Я позвоню ещё раз вечером.

М: Хорошо, передам.

Д: До свидания.

М: Всего доброго.

Вопросы.

1. Скажите, почему Джон не смог поговорить с Денисом?
2. Когда Денис будет дома?
3. Когда Джон позвонит ему ещё раз?

3. Составьте **диалоги** по ситуациям.

а) Позвоните вашему другу (подруге), пригласите его (её) в гости (в театр, в кафе, на дискотеку).

б) Вы позвонили другу (подруге), но его (её) нет дома. Попросите передать ему (ей), что вы звонили (позвоните позже), хотите с ним (с ней) встретиться, будете ждать его (её) на станции метро и т.д.

4. Прослушайте **диалог 3**. Скажите, куда звонил Джон, с кем он хотел поговорить.

Диалог 3

Д — Джон **С** — Секретарь

Д: Алло! Это спортивный центр?

С: Да, слушаю вас.

Д: Попросите, пожалуйста, Игоря Петровича.

С: Его сейчас нет. Что ему передать?

Д: Спасибо, ничего. Я позвоню позже.

5. Прослушайте **диалог 4**. Скажите, кто позвонил директору компании «Интерком». О чём он хочет говорить с директором?

Диалог 4

Л — Леонид Михайлович **С** — Секретарь

С: Компания «Интерком». Здравствуйте!

Л: Добрый день. Могу я поговорить с директором?

С: По какому вопросу?

Л: По вопросу покупки компьютеров для офиса.

С: Как вас представить?

Л: Старший менеджер фирмы «Альянс» Белов Леонид Михайлович.

С: Минуту. Соединяю.

6. Составьте **диалог** по ситуации.

Позвоните в офис компании (фирмы, банка), представьтесь, попросите к телефону нужного вам человека, объясните секретарю, по какому вопросу вы звоните.

7. Прослушайте **диалоги**. Скажите, куда звонили эти люди. Запомните, как нужно ответить, если человек позвонил вам по ошибке.

Диалог 5

— Алло! Это банк?

— Нет, это квартира. Вы ошиблись номером.

— Извините.

Диалог 6

— Алло! Можно заказать такси?

— Вы не туда попали.

— Простите.

8. Вставьте в **диалоги** недостающие фразы.

Незнакомый человек ошибся номером и позвонил вам. Ответьте ему.

— Алло! Это магазин?

— ...

— Извините.

— Алло! Попросите, пожалуйста, Николая Петровича.

— ...

— Извините.

9. Прослушайте **диалог 7** и ответьте на вопросы.

Диалог 7

М — Михаил **Р** — работник справочной службы

М: Алло! Справочная?

Р: Справочная аэропорта. Слушаю вас.

М: Скажите, пожалуйста, когда прилетает самолёт из Берлина?

Р: Какой рейс?

М: Рейс № 812.

Р: Самолёт из Берлина, рейс 812 прибывает в 14.05 в аэропорт «Шереметьево».

М: Спасибо.

Р: Пожалуйста.

Вопросы:

1. Куда звонит Михаил?
2. Что он хочет узнать?
3. Когда и в какой аэропорт прибывает самолёт?
4. Откуда прилетает самолёт, каким рейсом?

10. Составьте **диалог** по ситуации.

Позвоните в справочную аэропорта (вокзала), узнайте, когда прибывает нужный вам самолёт (поезд).

11. Прослушайте **диалог 8** и ответьте на вопросы.

Диалог 8

М — Мигель **С** — служащая

М: Добрый день! Можно заказать разговор с Испанией?

С: Какой город?

М: Барселона

С: На какое время?

М: На 6 часов вечера.

С: Сколько минут будете говорить?

М: А сколько стоит 1 минута?

С: 76 рублей.

М: 3 минуты, пожалуйста.

С: Номер телефона в Барселоне?

М: 322-223.

С: Ваш номер телефона?

М: 499-155-03-53.

С: Ваша фамилия, имя.

М: Мигель Россарио.

С: Повторите, пожалуйста, вас плохо слышно.

М: Россарио — фамилия, Мигель — имя.

С: Заказ принят, ждите до шести часов.

М: Спасибо.

Вопросы:

1. Куда хочет позвонить Мигель.
2. Сколько стоит 1 минута разговора?
3. Когда состоится разговор?
4. Сколько минут он будет продолжаться?

12. Составьте **диалог** по ситуации.

Вы хотите позвонить родителям (друзьям). Закажите разговор с вашей страной.

СОДЕРЖАНИЕ

Учебное издание

ИВАНОВА Эльза Ивановна
ФРОЛОВА Анна Николаевна

НАШЕ ВРЕМЯ

УЧЕБНИК ПО РУССКОМУ ЯЗЫКУ КАК ИНОСТРАННОМУ

(базовый уровень)

Редактор *Л.Ю. Крылова*
Выпускающий редактор *Н.О. Козина*
Корректор *Н.В. Жукова*
Компьютерная вёрстка *О.А. Замковая*

Подписано в печать 25.01.2018. Формат 70×90/16
Объем 13 п.л. Тираж 1000 экз. Зак. 122

Издательство ООО «Русский язык». Курсы
125047, Москва, 1-я Тверская-Ямская ул., д. 18
Тел./факс: (499) 251-08-45, тел.: (499) 250-48-68
e-mail: kursy@online.ru; russky_yazyk@mail.com; rkursy@gmail.com
www.rus-lang.ru

Отпечатано с готового оригинал-макета издательства
в АО «Щербинская типография»
117623, Москва, ул. Типографская, д. 10. Тел.: (495) 659-23-27

Э. И. Иванова
С. В. Медведева
Н. Н. Алёшичева
И. А. Богомолова

НАШЕ ВРЕМЯ

Учебник по русскому языку как иностранному (элементарный уровень)

Настоящий учебник является первым в серии «Наше время» и предназначен для иностранцев, приступающих к изучению русского языка. Он состоит из 10 уроков и рассчитан на 80 и более аудиторных часов. Материал, представленный в книге, позволяет сформировать у иностранного учащегося умения и навыки, необходимые для элементарного общения на русском языке. Учебник предназначен для работы под руководством преподавателя.

Э.И. Иванова
И.А. Богомолова
С.В. Медведева

НАШЕ ВРЕМЯ

Учебное пособие по русскому языку для иностранцев (I сертификационный уровень)

Учебное пособие предназначено для иностранцев, владеющих русским языком в объеме базового уровня, и предполагает достижение ими I сертификационного уровня, позволяющего удовлетворить основные коммуникативные потребности в повседневной и социально-культурной сферах общения. Учебное пособие соответствует требованиям Государственной системы стандартов по РКИ и рассчитан на 150—180 аудиторных часов. В центре внимания авторов учебника — сам субъект деятельности — учащийся с его коммуникативными потребностями, интересами, отношением к содержанию текста и его морали. Подача материала предполагает взаимосвязанное обучение аспектам языка и видам речевой деятельности и формирование у иностранных учащихся коммуникативной компетенции. Грамматическая основа пособия — синтаксис простого и сложного предложения. Материал отобран с учетом гуманистической направленности обучения и приоритета общечеловеческих ценностей.

Л.Л. Бабалова
С.И. Кокорина

ПРАКТИКУМ ПО РУССКОЙ ГРАММАТИКЕ

Ч. 1. Корректировочный курс: падежные формы имён и система глагола.

Практикум по русской грамматике состоит из двух частей. Первая часть является корректировочным курсом и охватывает падежные формы именных частей речи и систему глагола. Вторая часть посвящена синтаксису простого и сложного предложения.

Первая часть практикума содержит материал, рассчитанный на иностранных учащихся, которые владеют русским языком на уровне А2: имеют навыки устной речи, понимают и читают по-русски, но нуждаются в осмыслении грамматической системы русского языка и выработке автоматизма в употреблении форм.

В корректировочном курсе представлены упражнения, предназначенные для интенсивной тренировки основных форм имён и глагола. Они рассчитаны на аудиторную работу учащихся под руководством преподавателя.

Л.Л. Бабалова
С.И. Кокорина

ПРАКТИКУМ ПО РУССКОЙ ГРАММАТИКЕ

Ч. 2. Синтаксис простого и сложного предложения

Практикум по русской грамматике состоит из двух частей. Первая часть является корректировочным курсом и охватывает падежные формы именных частей речи и систему глагола. Вторая часть посвящена синтаксису простого и сложного предложения.

Вторая часть практикума адресована иностранным учащимся, владеющим русским языком в объёме уровня В1. Предложенная здесь система заданий нацелена на то, чтобы помочь учащимся понять особенности синтаксиса русского языка и путём интенсивной тренировки довести навыки употребления русских синтаксических конструкций до автоматизма. Задания предназначены для аудиторной работы учащихся под руководством преподавателя.

М.Б. Будильцева
Н.С. Новикова
И.А. Пугачёв
Л.К. Серова

КУЛЬТУРА РУССКОЙ РЕЧИ

Учебное пособие для изучающих
русский язык как иностранный

Учебное пособие знакомит с нормами современного русского литературного языка, функциональными стилями речи, особенностями употребления языковых средств в различных условиях речевой коммуникации.

Практические задания способствуют обогащению словарного запаса, закреплению грамматических и синтаксических конструкций, характерных для определенных ситуаций общения, развивают речевую культуру, помогают овладеть правилами речевого этикета.

Пособие адресовано иностранным студентам, владеющим русским языком в объеме I сертификационного уровня.

М.Б. Будильцева
Н.С. Новикова
И.А. Пугачёв
Л.К. Серова

КОНТРОЛЬНЫЕ ТЕСТЫ

к курсу «Культура русской речи»
для иностранных студентов

«Контрольные тесты» являются составной частью учебно-методического комплекса для иностранных студентов «Культура русской речи».

Сборник включает типовые тестовые задания, оценивающие уровень владения иностранными учащимися орфоэпическими, словообразовательными, морфологическими, лексическими и синтаксическими нормами современного русского литературного языка, а также знание функциональных стилей, языковых и внеязыковых особенностей речевого общения в различных коммуникативных ситуациях. Все тестовые задания соотнесены с содержанием основного пособия и образовательного стандарта.